Tijd

HANNE ØRSTAVIK

Tijd

UIT HET NOORS VERTAALD
DOOR MARIANNE MOLENAAR

DE GEUS

06. 05. 2008

De vertaler ontving voor deze vertaling een werkbeurs van de
Stichting Fonds voor de Letteren

Deze vertaling is mede tot stand gekomen dankzij een bijdrage
van NORLA (Oslo)

Oorspronkelijke titel *Tiden det tar*, verschenen bij Oktober
Oorspronkelijke tekst © Forlaget Oktober A.S., Oslo 2002
Nederlandse vertaling © Marianne Molenaar en De Geus BV, Breda 2007
Omslagontwerp Robert Nix
Omslagillustratie © H. Armstrong Roberts/Corbis/TCS
Druk Koninklijke Wöhrmann BV, Zutphen
ISBN 978 90 445 0700 3
NUR 302

I

E r lag sneeuw op de velden. Vanuit het raam zag ik een eindje verderop drie andere boerderijen, er brandde licht in het donker. Bij een van de huizen hadden ze op het erf een dennenboom met lichtjes versierd, nog vier dagen, dan was het Kerstmis.

'Mama,' riep Ellen, 'kijk eens in de oven.'

Ik draaide me om en ging op mijn hurken voor het fornuis zitten. Ellen had gelijk, de peperkoekjes waren klaar. Ik pakte de pannenlappen en haalde de bakplaat eruit, Ellen schoof de vormpjes en de koekjes opzij die al klaar op tafel lagen, zodat er ruimte vrijkwam. Ik hield het blik schuin en de peperkoekjes gleden eraf, een hele berg varkentjes, engelen en sterren. Ellen keek glimlachend naar me op.

'Nu hebben we er bijna net zoveel als Pippi', zei ze.

'Hm,' zei ik en ik glimlachte terug, 'misschien hebben wij er wel meer.'

'Meer peperkoekjes dan Pippi?'

Ellen jubelde. Ik keek naar haar blonde haar, zo blond was dat van mij nooit geweest, ik keek naar de kuiltjes in haar wangen. Die had ze al bij haar geboorte, ik herinner me het moment dat we ze ontdekten. We lagen in het tweepersoonsbed in het ziekenhuis, ik had gedacht dat pasgeboren kinderen moe zouden zijn en alleen maar wilden slapen, het was nacht en de geboorte had meer dan twintig uur geduurd, maar Ellen was klaarwakker, ze lag tussen ons in rond te kijken en op dat moment ontdekten we die kuiltjes in haar wangen. Ik herinner me hoe vreselijk blij ik werd dat ze die had, het was een zichtbaar teken van iets heel anders, iets wat ze niet van Einar had of van mij of van een van onze ouders. Ik hoopte, geloof ik, dat het betekende dat het opnieuw begon, dat het leven echt opnieuw kon beginnen, dat het mogelijk was om helemaal zonder littekens, zonder sporen te zijn.

7

Toen kwam mama op bezoek en vertelde dat ze die kuiltjes van papa had. Maar dat klopt niet, papa heeft geen kuiltjes, maar gewoon lachrimpeltjes.

Ik keek naar Ellen, ze zat op haar stoel aan tafel met twee vrouwtjes van peperkoek te spelen. Ze hield ze omhoog als poppen, verzon stemmen en de twee vrouwtjes praatten zachtjes met elkaar. Ze merkte dat ik naar haar keek.

'Je mag niet kijken, mama', zei ze.

'Oké', zei ik en ik keek een andere kant op. 'Zullen we Einar straks een paar koekjes brengen?'

We keken naar *Kerstmis in Sesamstraat* en ik ruimde de keuken op. Het was een grote, oude keuken, de kasten en de muren waren lichtgeel en hij maakte een beetje een lege indruk, we waren van plan hem van de zomer te gaan schilderen, we woonden hier nog niet zo lang. Ik had nooit gedacht dat ik nog eens op een boerderij zou wonen. Soms als ik wakker werd en het stil was en donker, wist ik niet waar ik was en dan ging die schok weer door me heen: ik had me verslapen, college, ik zou te laat komen. Dan wenden mijn ogen aan het donker, ik zag de contouren van de dingen, ik zag de wanden, de deur, het zwakke schijnsel dat binnenviel langs het rolgordijn, ik hoorde Einars ademhaling op het kussen naast me. Nu ben je op de boerderij, Signe, zei ik tot mezelf. Hoor hoe stil het is.

Ellen liep voor me uit over het pad door de sneeuw, ze had een jurk aangetrokken en een roze speelgoedkroon opgezet, ze wilde de heilige Lucia zijn. Ze had rode laarzen aan en ze droeg de koekjes in een met bloemen bedrukte plastic tas. We liepen over het erf naar de stal. Er waren nog geen dieren, maar Einar had er zijn studio in een geïsoleerde ruimte. Ooit had daar iemand geslapen, er was een deur in de ene zijmuur, je stapte zo binnen. Ellen klopte aan. We hoorden Einar 'ja' zeggen. Ik hielp haar de deur open te doen en ze begon te zingen terwijl ze het vertrek binnenstapte, ze keek naar de vloer, toen het lied uit was begon ze opnieuw.

'We hebben peperkoekjes voor je meegebracht', zei ze.

'O, dat zijn de lekkerste kerstkoekjes die ik ken', zei Einar en hij legde zijn gitaar weg. Ellen gaf hem de plastic tas, hij maakte hem open en pakte vijf koekjes, stapelde ze op elkaar en stopte ze allemaal tegelijk in zijn mond. Ellen lachte. Ik stond bij de deur.

'Lukt het?' vroeg ik.

'Ik geloof het wel', antwoordde hij met volle mond, hij trok zijn schouders op alsof hij het niet wist, maar hij maakte een tevreden indruk. Hij keek me met opgetrokken wenkbrauwen aan, alsof hij vroeg hoe het met mij ging. Ik trok mijn neus op als een konijn en glimlachte terug.

Toen Einar boven was om Ellen naar bed te brengen, stond ik bij het raam in de kamer, ik hoorde hem zachtjes zingen. Ik hield mijn koffiekopje in beide handen vast en keek naar buiten. Het was donker, maar van boven viel licht van de maan en van onder lichtten de grote, witte velden op. Ik keek naar de grote boom een eindje verderop langs de weg, hij zag eruit als een boom uit een boek, volkomen gelijkmatig, de takken vormden een bol, een perfecte boog helemaal rondom. Ik verheugde me erop hem te zien als het lente werd, te zien hoe hij teer lichtgroen kleurde en hoe er steeds meer bladeren aan kwamen, totdat de takken verdwenen waren en de hele boom groen was. Ik keek in het glas, ik keek naar mezelf. Ik had mijn haar afgeschoren, op een van die dagen dat alles een chaos was. Het was geen weloverwogen daad geweest, maar een pure opwelling, een zenuwimpuls, van de hand die Einars tondeuse pakte, hem tegen mijn voorhoofd hield en mijn lange haar afschoor. Achteraf beschouwde ik het als een poging om me van iets te ontdoen. Alsof er iets kon verdwijnen. Het enige wat er gebeurde was dat mijn haar eraf was. Ik keek weer naar buiten naar de grote boom, voelde dat ik al aan hem gehecht was. Ik zal op je passen, dacht ik. Ik legde mijn voorhoofd tegen de koele ruit. Zolang ik hier op de boerderij woon zal niemand je iets doen.

Plotseling pakte iemand me beet, ik schrok. Het was Einar. Hij sloeg zijn armen om me heen, hield me stevig vast en gaf kleine beetjes in mijn nek. Toen liet hij me los.

'Hier is een nummer dat je móét horen', zei hij, hij liep naar de cd-speler en deed er een cd in. Ik draaide me om en leunde tegen de muur terwijl ik naar hem keek, de muziek begon, het was R.E.M., een nieuwe opname, ik keek naar Einar, zag hoe hij donkerder werd op de muziek, zijn ogen werden donkerder, half glimlachend vanonder die bruine haren, als hij zo op me toe kwam, opgaand in de muziek, zijn sproeten en die o zo zachte mond, ik voelde het door mijn hele lichaam. Hij sloeg zijn armen om me heen en we dansten door het grote vertrek, het rook er naar peperkoekjes en het was er warm, ik trok zijn dikke trui uit, zijn dunne T-shirt, ik hield mijn hand op die zachte, warme huid onderaan bij zijn achterste, streelde hem over zijn rug, betastte de mooie botten in zijn schouders. Ik voelde zijn hand op mijn broek, ik danste met mijn rug naar hem toe en hij streelde mijn lichaam, mijn borsten, mijn buik, pakte me tussen mijn benen alsof het een handvat was. Toen ging de telefoon. We keken elkaar aan, we waren het niet gewend dat die ging, wie kon het zijn en zouden we opnemen? Nu? Einar liep erheen en boog zich voorover, de telefoon stond nog steeds op de grond. Hij nam op: 'Hallo. Ja, alles in orde. Op bezoek? Wacht even dan geef ik je Signe.'

Het was mama. Ze vertelde dat mijn broer een paar dagen eerder was thuisgekomen, ze vroeg of het goed was dat ze bij ons op bezoek kwamen.

'Ja, komen jullie morgen maar', zei ik, ik keek naar Einar om te zien of hij er iets op tegen had, hij knikte, het was in orde.

'Nemen jullie de trein?' vroeg ik.

'Nee, je vader rijdt', zei mama. 'Hij is hier ook', zei ze.

Ik zag hen voor me, alledrie bij haar thuis: mama, die zo bij de telefoon stond dat ze mijn broer kon zien, verdiept in een boek op de beige bank, en papa naast hem, voorovergebogen met de afstandsbediening in de hand terwijl hij op een of ander kanaal naar het nieuws keek. We spraken een tijd af en ik legde haar uit hoe ze moesten rijden.

'Je doet er bijna een uur over. We komen naar de weg om jullie op te wachten. Doe de groeten en tot morgen', zei ik.

'Ja, jij ook. Tot morgen', zei ze.

Ik legde de hoorn weer neer. Ik keek naar Einar. Hij had de muziek zachter gezet, stond het doosje te lezen. Ik keek om me heen. We zouden moeten schoonmaken, dat hadden we niet gedaan voor de kerst. Er stonden nauwelijks meubelen, alleen een rond tafeltje en een oude, bruine bank met een gat in een van de kussens, ik besloot dat meteen te repareren, misschien had ik nog een stukje stof dat paste, maar waar waren mijn lapjes eigenlijk? Ik ging naar de keuken, Einar zette de muziek weer harder.

'Moet je deze horen, Signe', riep hij me toe.

Ik stond in de keuken, keek in de hoekkast, al die plastic tassen, waar waren die lapjes nu, ik kon niet nadenken met die harde muziek, ik wilde dat hij hem afzette, in ieder geval ietsje zachter, stel dat Ellen er wakker van werd, dan hadden we de poppen aan het dansen, dan zou het morgen een lange dag worden, met een moe en huilerig kind en bezoek en ik stond er helemaal alleen voor, want Einar moest werken. Ik keek om me heen, wat zag die keuken er triest uit, nergens iets aan de muur, alleen die lichtgele piskleur, we hadden hem allang moeten schilderen, waarom hadden we dat niet meteen gedaan, we woonden hier nu al bijna twee maanden en het zag er nog steeds even erg uit. Zou het altijd zo blijven? Dit was wat ik mijn dochter te bieden had, het was haar kerst en dit was wat ik haar kon geven: een armoedig huis in vreselijke kleuren, en het zou vast altijd zo blijven, we zouden nooit iets gedaan krijgen, we zouden altijd in deze lelijke rotzooi blijven wonen, die harde muziek ontnam me alle kracht en ik had geen hulp om het hier op orde te brengen, hij zou me best een beetje kunnen helpen, een paar schilderijen ophangen of gewoon een paar ideeën opperen wat we konden doen, hij had geen enkel voorstel gedaan. Hij denkt er niet aan, dacht ik, ik wilde dat hij de muziek afzette, en het was alsof hij had gehoord wat ik dacht, want het werd stil.

Ik ging naar de deur van de kamer om hem te vragen of hij wist waar die tas met lapjes was en of hij me wilde helpen zoeken. Hij stond met zijn rug naar me toe bij de cd-speler, ik was vergeten dat hij geen trui meer aan had, ik zag alleen die naakte, gladde rug. Toen begon er een ander nummer, hij had alleen maar een andere cd opgezet, iets ouds uit de jaren zeventig dat hij zo goed vond, maar hij had moeten bedenken dat ik het vlak vond en saai, een ongelooflijk stom ritme. Hij draaide zich om en keek me aan, hij glimlachte. Ik probeerde ook te glimlachen.

'Deze vind ik zo goed', zei hij en hij sloeg met zijn wijsvingers als trommelstokken in de lucht, kwam op me toe en wilde me weer tegen zich aan drukken, wilde verder dansen.

'Weet jij waar de zak met lapjes is?' vroeg ik.

'Geen idee', zei hij. Hij graaide naar mijn pols, trok me naar zich toe.

'Laat me los', zei ik. Ik rukte mijn arm uit zijn hand. 'Je weet dat ik er niet van hou als je me vasthoudt.'

'Wat is er aan de hand, Signe,' zei hij, 'je bent helemaal verstijfd.'

Hij hield zijn hoofd schuin en keek me aan.

'Ik kan die zak met lapjes niet vinden', zei ik.

'Ligt die niet in de kast in de keuken?' vroeg hij.

'Ik kan hem niet vinden', zei ik.

Ik ging weer naar de keuken. Hij zette de muziek uit en kwam achter me aan. Ik liep naar de kast en trok er de ene na de andere zak uit, keek erin en liet ze op de grond vallen. Zomerkleren. Oude schoenen. Te grote kleren voor Ellen, die we op de vlooien-markt hadden gekocht en die ze over een jaar of twee aan kon. Nergens lapjes.

'Wat wil je daar eigenlijk mee?' vroeg Einar.

'De bank repareren', zei ik.

'Dat hoeft nu toch niet', zei hij.

'Jawel, dat wil ik nu doen', zei ik.

'Doe dat toch een andere keer, Signe', zei hij.

Hij keek me aan.

'Ben je zo van streek omdat ze komen?' vroeg hij teder. 'Is dat het, Signe, hé?'

Hij zei het met die toegeeflijke, warme stem, alsof hij wilde dat ik nergens anders meer aan zou denken. Het zat allemaal in mij, zei die stem, het waren allemaal psychische reacties, onbewuste handelingen en reflexen. Maar deze keer kwam hij er niet zo gemakkelijk vanaf, deze keer lag het niet aan mij, maar aan dit huis, dat we het niet op orde kregen, dat we op een vuilnisbelt woonden.

'Daar gaat het nu niet om,' zei ik, 'ik wil dat het hier netjes is, dit is ons huis, het is Kerstmis en ik wil dat het er hier een beetje mooi uitziet.'

'Maar ik vind dat het er mooi uitziet', zei Einar.

'Kijk dan eens om je heen', zei ik. 'Het is een zootje, vies en vuil, misselijkmakende kleuren op de muren, meubels met gaten erin en er ligt overal troep.

Kijk dan eens', zei ik. 'Kijk maar.'

'Ja, maar Signe,' zei Einar, 'jíj wilde hier toch naartoe verhuizen. Jíj wilde de stad uit, jíj vond het hier toch zo fijn, herinner je je niet hoe je van de ene kamer naar de andere bent gelopen en hoe blij je was en dat je zei dat het het mooiste huis was dat je ooit had gezien?'

'Ja,' zei ik, 'het zou hier mooi kunnen worden als we er iets aan deden. Maar we doen niets. Jij zit daar maar in de stal te spelen en ik loop hier rond en pas op Ellen en we beginnen nooit eens te schilderen, we doen nooit iets, we wonen hier gewoon in die rotzooi tot we hem niet meer zien en denken dat het zo hoort. En nu wil ik er eens iets aan doen, een kleinigheidje, gewoon de bank verstellen, er een lapje opzetten, zodat dat gat niet meer te zien is en dan wil jij me niet eens helpen er een stukje stof voor te vinden, dan sta je daar maar te kijken en beweer je dat ik van streek ben.'

Ik aapte zijn stem na, liet hem kinderachtig klinken: 'Ben je zo van streek, kleine meid. Verdomme', riep ik. 'Jij bent van streek. Het laat je allemaal koud.'

Einar schudde zijn hoofd.

'Dit pik ik niet', zei hij. 'Dit pik ik niet.'

Hij ging aan tafel zitten en haalde zijn pakje shag voor de dag, begon een shagje te draaien. Ik vond het zo ongelooflijk stom dat hij moest gaan zitten om een shagje te draaien, dat was zo ongelooflijk suf, het kwam zo slap over. Hij stond op en keek me aan, toen ging hij de gang in, ik hoorde de buitendeur. Ga jij maar roken, dacht ik, je hebt waarschijnlijk iets nodig om tot bedaren te komen, het werd je zeker te veel, kleine, gevoelige muzikant. Ik begon de zakken weer in de kast te proppen.

De zak met lapjes vond ik helemaal onderin, naast de naaimachine. Ik herinnerde me dat ik hem daar had gestopt om hem gemakkelijker te kunnen vinden, omdat er een zekere logica in zat. Ik haalde hem eruit en zocht een lapje dat paste qua kleur, bruin fluweel van een oud gordijn. Ik haalde een schaar en wilde er een stukje van afknippen, maar het lukte me niet. Het was alsof ik geen kracht genoeg had om te knippen, het lukte me niet om de bladen van de schaar uiteen te krijgen. Ik legde hem op tafel, ging op de stoel zitten waarop Einar had gezeten. Ik keek recht voor me uit, recht in het raam, ik zag mezelf: ik zat alleen aan de keukentafel, ik had geen haar op mijn hoofd, dat kleine hoofd leek zo smal in de ruit, maar de ogen achter de brillenglazen waren groot.

Achter me in het raam zag ik Einar. Hij was weer binnen-gekomen. Hij bleef een poosje bij de deur staan, we keken naar elkaar in de ruit. Hij kwam naar me toe en ging op een van de andere stoelen zitten. Het was volkomen stil, geen geraas van verkeer, geen auto's, geen voetstappen, geen wind.

'Zo kunnen we niet doorgaan', zei hij.

'Nee', zei ik zachtjes.

We zwegen. Er klonken wat geluiden van het huis, hout dat werkte. Ik voelde hoe de tranen over mijn wangen begonnen te stromen.

'Het lukt me niet om te knippen', zei ik.

Ik hield mijn handen een stukje in de lucht, keek hem aan.

'Het lukt me niet om iets met mijn handen te doen.'

Ik begon te huilen.

'Niets lukt meer. Ik heb geen kracht. O, Einar, wat moet ik doen, het lukt me niet.'

Ik sloeg mijn handen voor mijn gezicht, ze waren ijskoud.

'Ik zal nooit meer iets gedaan krijgen.'

Einar stond op en kwam naar me toe, ging op zijn hurken zitten en sloeg zijn armen om me heen terwijl hij me zachtjes heen en weer wiegde, hij blies teder tegen mijn hoofd.

'Het wordt heus wel beter, Signe,' zei hij zachtjes, 'het gaat heus voorbij. Het blijft niet altijd zo.'

Maar hoe kan hij dat weten, dacht ik. Het is nu al een paar jaar zo, het laatste halfjaar is het bijna aldoor zo geweest. Einar sliep, ik hoorde hem zwaar ademhalen naast me, hij sliep diep, we hadden een groot glas whisky gedronken voordat we naar bed gingen, dat hielp meestal. Stel je voor dat het nooit meer verandert, dacht ik, en dat er altijd zulke afgronden kunnen gapen waarin alle kracht verdwijnt en waarin alles leeg en donker en koud en akelig en stil is. Alsof de buitenlaag die over de dingen ligt, wordt weggerukt en alles zich vertoont zoals het eigenlijk is. Zoals het onder de vreugde, onder de kleuren eigenlijk voortdurend is. Een donkere, brede, ijskoude, stromende rivier.

Het lukte me niet langer om gewoon stil in bed te blijven liggen, ik stond op, pakte Einars dikke wollen trui en een paar grote sokken. Ik liep de trap af naar de keuken, het rook er nog steeds naar peperkoekjes, ik deed geen licht aan, zette een beetje water op en ging met mijn benen opgetrokken en de trui over mijn knieën op een stoel aan de ronde tafel zitten.

Nu waren we hier.

Ik was ervan overtuigd geweest dat het beter zou worden zodra we hier waren, ik wilde niet zo'n zwakkeling zijn, ik was er volkomen van overtuigd geweest. Maar toen ging het gewoon door. Ik dacht aan een jongetje dat ik getest had toen ik stage liep: hij zat doodstil en deed wat ik zei, hij had zulke verdrietige ogen en ik kon niets doen om hem te helpen, alleen maar kaarten opsteken, hem zinnen laten herhalen, zijn vaardigheden registreren als hij blokken in een bepaald patroon legde. Ik zag hem zo duidelijk voor me, hoe hij iedere avond naar bed ging in een bed dat tegen een muur stond.

Het water kookte, ik stond op en pakte de ketel van de plaat, zette die uit, pakte een theezakje met kamillethee en schonk water in een grote kom. Ik liep naar het raam, voelde de warmte van de kom in mijn handen. Ik keek naar buiten het donker in, bij een van de andere boerderijen brandde zwak licht, daar ver weg zag ik een driehoekig schijnsel, een kerstboom.

Ik dacht aan mijn broer. Het zou vreemd zijn om hem weer te zien. Hij was als wetenschappelijk onderzoeker aan het Massachusetts General Hospital verbonden, waarschijnlijkheidsberekening van hartoperaties. Het was een van de beste ziekenhuizen in heel Amerika. Ik vroeg me af waar hij woonde, wat hij zag vanuit zijn raam. Ging hij vroeg naar bed, viel hij snel in slaap? Wat at hij graag, waar lachte hij om? Ik dacht aan een droom die ik had gehad. Daarin had hij zijn rechterhand verloren. Ik had zo'n medelijden met hem gehad, want dan kon hij geen piano meer spelen, maar hij had geglimlacht in mijn droom en was zo tevreden geweest, het leek hem niets uit te maken dat hij zijn hand kwijt was. Ik vroeg me af wat die droom zou kunnen betekenen. Misschien speelde hij sowieso niet meer zoveel? Hij woonde al een hele tijd in Amerika, maar ik was nog nooit bij hem op bezoek geweest. Het was er gewoon niet van gekomen. Er was daar niets wat me aantrok, maar er was ook niets wat me ervan weerhield.

Ik probeerde te bedenken wie ik voor hem was. Misschien die degelijke, overgevoelige zus. Ik deed mijn ogen dicht. Ik voelde in mijn benen hoe het was om hard te lopen, hoe we over die grote vlakte vol heide renden, hij voorop. Aan de rand bleven we staan, ik haalde hem in en hij keek me aan. Ik probeerde me zijn ogen van toen voor de geest te halen, maar het lukte me niet.

Ik dronk mijn thee op en zette de kom op tafel. De trap kraakte toen ik naar boven ging, ik liep Ellens kamer in, ze lag als een bal opgerold in een hoek van haar bed, had haar dekbed van zich af geschopt. Ik legde het weer over haar heen, in haar slaap trapte ze ernaar met haar voet.

Einar had zich omgedraaid en een arm over mijn dekbed geslagen, ik ging er met de trui en de sokken nog aan onder liggen, ik had het koud. Stil bleef ik onder het gewicht van zijn arm naar hem liggen kijken, naar het weinige dat ik kon zien in het donker: zijn oor, de omtrek van zijn hoofd, ik dacht aan zijn lichaam, zijn hart, het bloed dat door zijn aderen stroomde: elk moment kan zich een propje vastzetten, kan er een ader knappen, kan er iets misgaan. Elk moment. Elk moment. Elk moment. Die gedachte kende geen pauze, het was net een loeiende sirene die niet meer ophoudt, maar voortduurt en voortduurt tot je hem niet meer hoort.

'Vandaag komen opa en oma', zei ik tegen Ellen. Ze lag naast me in bed, Einar sliep nog.
'En je oom', zei ik.

Ellen worstelde zich onder het dekbed vandaan, ze wilde een tekening maken voor haar oom, nu meteen. Bij de deur bleef ze staan.

'Maar het is helemaal donker,' zei ze, 'iemand moet het licht voor me aandoen.'

Ze kon niet bij de schakelaars, het waren van die oude, harde knopjes die je om moest draaien.

'Ik kom', zei ik.

Einar lag op zijn zij met zijn rug naar ons toe. Ik hield een vinger voor mijn mond en sloop de kamer uit, deed de deur dicht. We liepen in het donker de trap af, ik deed het licht in de keuken aan en pakte de doos met kleurtjes en papier. Ellen ging op haar knieën op haar stoel zitten en begon te tekenen. Ik deed water en koffie in het apparaat, zette het aan. Ik bleef ernaast staan wachten, keek naar Ellens gebogen hoofd, ik dacht aan mama. Ooit had zij zo gestaan en naar mijn gebogen hoofd gekeken. Waar had ze aan gedacht? Waar had ze aan gedacht toen ze mij zo zag? Ik wist het niet. Het was alsof ze nooit naar me had gekeken. Maar natuurlijk heeft ze naar je gekeken, Signe, zei ik tegen mezelf.

Ellen keek me aan, ze glimlachte.

'Ik teken een vliegtuig', zei ze.

'Laat eens zien', zei ik.

Ik liep naar de tafel, ze had iets roods getekend met een kleine lila stip erin.

'Is dat oom in het vliegtuig?' vroeg ik terwijl ik op die stip wees.

'Nee,' zei Ellen lachend, 'zie je dat niet, dat is een vogel, die vliegt ernaast.'

'Ach natuurlijk,' zei ik, 'nu zie ik het, dat is een vogel.'

Ik aaide haar over haar bol, ik liep naar het koffiezetapparaat en schonk koffie in de grote kom waaruit ik die nacht thee had gedronken, ik liep weer naar haar toe en ging naast haar aan tafel zitten. Ik pakte een blad papier en een groen kleurtje en begon gras en bloemen te tekenen. Ellen keek naar mijn tekening.

'Waarom teken jij altijd zo?' vroeg ze.

'Wat bedoel je?' vroeg ik.

'Zo dat het lijkt. Dat is zo saai.'

'Ja, daar heb je gelijk in,' zei ik, 'ik wilde dat ik het kon laten.'

Ik pakte een nieuw blad en probeerde vrijer te tekenen, zonder erbij na te denken, gewoon mijn hand en de lijnen te volgen. Het lukte niet.

We hadden besloten om met Kerstmis alleen te blijven, alleen wij drieën. Ik had tegen mama gezegd dat we thuis wilden blijven op kerstavond. Ik had niets over de rest van Kerstmis gezegd, dat we ook dan thuis wilden blijven, ik had het uitgesteld, ik had het gewoon niet kunnen opbrengen. Op kerstavond zouden Ellen en ik naar het sprookje *Drie hazelnoten voor Assepoester* kijken en we zouden *pinnekjøtt* eten – dat was noch bij Einar noch bij mij thuis traditie geweest met kerst, maar wij wilden dat wel. Einar zou zich als kerstman verkleden en we zouden het papier van de pakjes scheuren en ze niet netjes een voor een openmaken, zodat iedereen kon zien wat het was voordat het volgende pakje werd uitgedeeld, zoals bij mama en papa. Ik wist dat mama heel graag wilde dat we bij haar zouden komen. Papa ook wel, maar voor hem was het niet zo belangrijk welke dag, mama wilde het liefst dat we kerstavond kwamen. Het was alsof kerstavond een plaatje in haar hoofd was, een foto, en dat als wij er niet waren er iets op dat plaatje ontbrak en de dag bedorven was. Maar het gaat haar om dat plaatje, niet om ons, dacht ik. Mama en papa waren gescheiden toen ik ging studeren, toch vierden ze kerst altijd samen, en ook verder trokken ze veel met elkaar op, ze ondernamen van alles met elkaar en het leek alsof dat hen allebei beviel.

Aangezien ook mijn broer thuis was gekomen voor kerst wist ik dat mama er niet zonder meer genoegen mee zou nemen dat wij niet kwamen. Ik dacht aan die grote, witte kamers bij haar thuis, drie achter elkaar, met dubbele openslaande deuren en helemaal achterin de grote kerstboom, vorig jaar was hij versierd met blauwe en witte ballen en kleine sneeuwkristallen van glas. Ik was nog niet bij papa in zijn nieuwe huis geweest, het was nog niet zo lang geleden sinds hij was verhuisd. Hij had een eenkamerappartement via zijn nieuwe baan gekregen, maar had nog niet gewild dat we daar op bezoek kwamen, dus ontmoetten we elkaar bij mama, aangezien zij meer ruimte had.

'Ga jij Einar maar wakker maken, dan zal ik het ontbijt klaarmaken', zei ik.

Ellen liet haar kleurpotlood los en gleed van haar stoel, ik hoorde haar voetstappen de trap op gaan, hoorde hoe ze naar het bed holde en zich erbovenop wierp, ik hoorde een brul van Einar en Ellen die lachte. Ik stopte de kleurtjes in de doos, pakte de vellen tekenpapier bij elkaar en veegde met een doekje de tafel af. Ik haalde drie blauwe bordjes uit de kast, zette ze neer, glazen, ik pakte beleg en bestek. Ik zette verse koffie. Kwamen ze nu niet gauw? Ik liep naar het raam en keek naar buiten, het was een beetje lichter geworden, het was bijna negen uur. Het raam was glanzend schoon, Einar had het gelapt. Toen we hier kwamen wonen kon je er bijna niet doorheen kijken, het hele huis was met een laag vuil bedekt, we hadden dagen nodig gehad om schoon te maken. Ik zag dat er kruimels en stof op de vloer lagen. Tja, dan moet ik maar stofzuigen, dacht ik. En de wc doen en broodjes bakken en een taart. En wat zouden we eten? Ik dacht aan de bank, die ik toch niet had gerepareerd. Zo ging het altijd, ik was vol goede moed, ging met iets aan de slag en dan kwam Einar en maakte er een eind aan, stak me lek als een ballon, dreef me in een kringetje rond tot ik begon te huilen en zwak en mak als een lammetje werd. Verdomme. Ik ging naar de kast en maakte hem open, pakte de zak met lapjes en haalde de bruine stof eruit. Ik pakte een schaar en knipte een vierkantje uit een van de hoeken, in een andere zak bij de naaimachine vond ik naald en draad. Ik hoorde Ellen tree voor tree naar beneden stampen. Einar kwam achter haar aan, ik hoorde zijn zware geluiden, hij liep regelrecht de gang in, de stoep op. Hij moest natuurlijk roken. Ja ja, altijd een of andere dringende lichamelijke behoefte: roken, eten, kakken. Altijd iets wat je beslist moet, dacht ik. Ik werd bijna misselijk als ik aan hem dacht. Ik voelde de pijn in mijn rug. Stress, dacht ik. Je raakt gestrest als je overal de verantwoording voor hebt, dacht ik, als er nooit een eind komt aan het werk en je er helemaal alleen voor staat.

In de kamer praatte Ellen met zichzelf, ik hoorde hoe ze haar doos met lego kantelde, het lawaai van de blokjes die eruit kieperden, ze discussieerde ergens over met iemand, was twee personen die een huis zouden bouwen, ze hadden er ruzie over waar de ramen moesten komen. Ik hoorde Einar de buitendeur dichtdoen, hij kwam de keuken binnen. Ik had het stukje stof op tafel gelegd, naald en draad erbovenop. Hij keek me vragend aan.

'Wil je koffie?' vroeg ik.

Hij knikte. Ik pakte de kan en schonk ons allebei in.

'Ellen,' riep ik, 'kom ontbijten.'

Ze bleef spelen. Ik ging zitten. Einar deed de radio aan, er was kerstmuziek op, een gregoriaans koor. Zalvende kitsch. Hij keek me aan.

'Dan niet', zei Einar.

Hij deed hem weer uit.

'Laat maar aan', zei ik.

Hij keek naar me en schudde zijn hoofd.

'Zet hem toch aan', zei ik.

Hij keek me aan en slaakte een zucht.

'Wat is er, Signe?' vroeg hij.

O, wat haatte ik die zogenaamd zachtmoedige toon.

'Er is niets', zei ik.

'Maar het straalt van je af dat er iets is', zei hij.

'Alsof je zelf in zo'n goede bui bent', zei ik.

'Signe', zei hij.

Ik hoorde Ellen in haar lego graaien, alsof ze een paar heel speciale blokjes zocht.

'Er is zoveel te doen', zei ik.

'Wat dan?' vroeg Einar.

'Zie je dat dan niet?' vroeg ik. 'Kijk om je heen, zie je dan niet dat er veel te doen is?'

Hij keek me alleen maar recht in de ogen.

'Ik moet bakken en schoonmaken. En verstellen', zei ik en ik keek naar het bruine lapje naast mijn bord. Hier zat ik.

'Ik ben een nietsnut, ziek verklaard, het lukt me niet eens om huisvrouw te zijn, de simpelste dingen krijg ik niet voor elkaar en de dagen verstrijken maar, nu is het al kerst en het lukt me niet eens om de vloer te dweilen, er is zoveel te doen en ik krijg niets geregeld.'

Ik begon te huilen, stil, de tranen stroomden over mijn wangen. Ik zat op een stoel midden in een grote, lege ruimte en de afstand tot de muren was eindeloos.

'Signe', zei Einar. 'Kijk eens om je heen.'

Ik keek hem aan. Hij wees naar het raam, daar hing een groot, rood kartonnen hart aan een rood touwtje, dat had ik begin december opgehangen. Hij wees naar de muur bij de deur. Hij bedoelde de tekeningen die Ellen en ik hadden gemaakt, we hadden ze opgeprikt, het waren er zo veel dat de muur erachter niet meer te zien was. Toen wees hij naar de blikken met peperkoekjes die we de avond daarvoor hadden gebakken, er stond nog een blik met kerstkransjes en nog een met donuts.

'Kijk, Signe,' zei hij zachtjes, 'moet je kijken hoeveel koekjes jullie hebben gebakken.'

Ik veegde met mijn trui mijn tranen weg. Ik glimlachte naar hem.

'Je bent zo'n lieverd', zei ik.

'Dat ben jij ook, Signe', zei hij.

Nee, dat ben ik niet, dacht ik. Hij kwam naar me toe en ging op zijn knieën voor mijn stoel zitten, ik boog me voorover en nam zijn hoofd in mijn handen, ik kuste hem, legde mijn benen om zijn rug en trok me helemaal tegen hem aan, hij trok me op de grond, we rolden om en om, zijn mond hing aan de mijne.

'Ik dacht dat het ontbijt klaar was.'

Ellen stond in de deuropening naar ons te kijken, ze hield haar armen een stukje boven haar ogen, alsof het zonlicht te scherp was en ze niet goed kon zien. Ik lachte en Einar begon me te kietelen, het deed bijna pijn en ik kon niet meer ophouden met lachen. Ellen kwam hem helpen, ik voelde haar zachte handen langs mijn wang, in mijn hals, achter mijn oor.

'Nu heb ik je, jij boef', zei ik en ik hield haar vast.

'Laat me los, mama.'

Ze probeerde ernstig te zijn.

'Nooit van z'n leven.'

'Nooit van z'n leven in de gloria', zei ze lachend.

H et sneeuwde. Mama liep voorop over het smalle pad door de sneeuw, de anderen liepen achter haar aan. Aan haar ene hand had ze Ellen vast, maar er was geen ruimte genoeg om met zijn tweeën naast elkaar te lopen, zodat Ellen enigszins achter haar liep, in de andere had ze een grote plastic tas en over haar schouder droeg ze een zwarte shopper. Achter haar liep mijn broer. Hij droeg in elke hand een grote plastic tas, het leek alsof zijn nek geknakt was, zijn hoofd hing over dat lange, magere lichaam gebogen, dat was me nooit eerder opgevallen. Achter hem liep Einar en daarachter kwam papa, ze praatten met elkaar, ik zag Einar met zijn arm wijzen en papa de kant op kijken die hij uit wees. Papa had een grote muts op en een bruin jack van schapenvacht aan. Ook hij had verscheidene plastic tassen in zijn hand. Ik stond bij het keukenraam en zag ze bij de grote boom de helling op komen. Einar en Ellen gingen zodra het gesneeuwd had altijd met de sneeuwschep aan de gang, maar we hadden geen auto dus het was niet nodig om het pad breder te maken. Mama bleef bij de boom staan. Ze rechtte haar rug en keek naar het huis. Alle anderen bleven achter haar staan. Ook zij keken deze kant op. Ik zwaaide, maar het leek niet alsof iemand me zag. Ellen liep langs mama heen en rende en sprong een stukje voor hen uit, ze wilde waarschijnlijk dat ze wat sneller zouden lopen.

Het water kookte, ik ging naar het fornuis, deed er zout in en strooide de rijst erin, deed het deksel erop en draaide de plaat zachter. Ik tilde het deksel van de pan met chili en roerde erin, zodat het niet zou aankoeken. Ik keek naar de stapel versgebakken broodjes onder de theedoek op de aanrecht. Ik had de tafel gedekt en de adventskandelaar stond klaar met vier half opgebrande lila kaarsen. Ik ging de kamer in. In de twee kandelaars op het ronde tafeltje stonden nieuwe kaarsen. Einar had een grijs plaid op zolder gevonden dat hij over de bank had gelegd, hij had de vloer gedaan terwijl ik het eten klaarmaakte. Ellen had in een kleine, rode emmer met water een eigen dweil gehad, ze had haar hobbelpaard en haar stoel schoongemaakt.

Ik hoorde ze de stoep op komen, iemand deed de deur open, ik liep de gang in, Ellen en mama kwamen als eersten binnen. Ellen schopte haar laarzen uit en wrong zich uit haar jas. Mama keek me recht aan.

'Hoi', zei ze en toen zei ze niets meer, ze bleef met open mond naar mijn hoofd staan kijken.

'Signe', zei ze terwijl ze een hand voor haar mond hield, toen glimlachte ze weer. 'Draai je eens om.'

Ik deed wat ze zei.

'Mooi', zei ze. 'Je gezicht komt beter uit. Je hebt een beeldig gevormd hoofd.'

'Oma, kom je?'

Ellen riep haar vanuit de keuken, zij had haar laarzen en haar jas al lang uit. Mama hing haar dunne, zwarte bontmantel en haar grijze, zachte sjaal weg. Het leek alsof ze Ellen niet had gehoord, ze keek me lang aan, ik had geen idee wat ze dacht. Haar haar was zwart geverfd met een paar duidelijke, grijze strepen, ze had hetzelfde kapsel als altijd: een pony en achter recht afgeknipt, ze had donkere lippenstift op, ze pakte het hulsje uit haar tas en haalde de dop eraf.

'Dus hier wonen jullie.'

Ze knikte langzaam terwijl ze naar het plafond keek, ik zag dat ze de barsten in de verf zag.

'Oma, kom nou', riep Ellen nog eens.

'Jaha', riep mama, ze draaide de lippenstift eruit en haalde hem langs haar lippen, wreef ze over elkaar en veegde met haar pink haar mondhoekjes schoon, toen glimlachte ze naar me en ging naar binnen.

De deur ging weer open. Het waren mijn broer, Einar en papa. Die waren waarschijnlijk buiten blijven staan om hun sigaret op te roken. Mijn broer keek me glimlachend aan.

'Oei,' zei hij en hij aaide me over mijn hoofd, 'wat zacht. Stoer!'

We omarmden elkaar en ik zei dat het fijn was om hem weer te zien, fijn dat hij thuis was gekomen. Hij leek een beetje onzeker, bijna verontschuldigend.

'Fijn om je te zien', zei ik nog eens.

Hij knikte, alsof hij begreep wat ik wilde zeggen, maar wenste dat ik er niet verder over doorging. Hij ging samen met Einar naar binnen en toen waren papa en ik alleen. Het was een smalle gang, hij was helemaal achterin blijven staan met zijn jas aan. Nu trok hij hem uit, hing hem op, legde zijn oranjerood gestreepte muts op de plank. Hij gaf me een zoen.

'Ben je feministe geworden, Signe?' vroeg hij.

Hij doelde op mijn haar. Ik hoorde dat kleine extra toontje in zijn stem, de spot. Kort haar en een ronde bril. Dolle Mina. Communiste. Hij glimlachte, ik zag dat hij het vriendelijk wilde houden. Ik glimlachte terug.

'Wat heb je een lekkere warme jas', zei ik en ik voelde aan het zachte, bruine leer.

'Ja, vind je ook niet,' zei papa, 'heb ik bij UFF in de Storgate gekocht, ik heb niet zoveel verstand van zoiets, maar ik heb er op mijn werk veel complimentjes voor gekregen.'

'Hartstikke mooi', zei ik.

We lieten hen het huis zien en bleven ten slotte voor het grote raam in de kamer staan. Het was laat in de middag, het was nog een beetje licht, het sneeuwde niet meer. Het raam keek uit op de kleine tuin achter het huis met daarachter een akker en daar weer achter een dichte muur van bos. Einar vertelde over het huis, dat er een oom van hem in had gewoond en dat het nadat hij was overleden, een halfjaar had leeggestaan.

'Of oudoom,' zei Einar, 'een vrolijke, oude vrijgezel.'

'Zullen we een spoorbaan bouwen, opa?' vroeg Ellen.

'Als ik een spoorbaan met je moet bouwen,' zei opa blij, 'dan moet je me laten zien hoe ik dat moet doen, want daar weet ik niets van.'

'Ja, natuurlijk,' zei Ellen, 'je hoeft ze alleen maar achter elkaar te leggen en dan leg je er gewoon een bocht in. Hij kan toch niet helemaal recht zijn.'

'Nee, dat kan niet', zei papa en hij glimlachte. Hij keek me aan en knikte om te benadrukken wat Ellen had gezegd, hij wilde laten zien dat hij vond dat ik een fijne dochter had, openhartig en resoluut, dat was goed. Ik glimlachte terug en knikte als antwoord.

Hij ging op de grond zitten. Wat is hij mager, dacht ik, mager en stijf en zijn haar is helemaal wit geworden. Ik ging naar de keuken om naar de rijst te kijken. Einar stond samen met mijn broer bij de boekenkast, ze hadden het over boeken, mama liep achter me aan naar de keuken. Ze liep naar het raam en keek naar buiten, het raam waardoor ik ze had zien komen.

'Heerlijk hebben jullie het hier', zei ze.

Ze draaide zich om, leunde tegen de aanrecht en keek naar me.

'Ja, dat klopt', zei ik. Ik vertelde over de crèche, dat het geen probleem was geweest om een plaatsje voor Ellen te krijgen, ze zou er na kerst voor het eerst heen gaan, en dat Einar goed kon werken in de studio in de stal.

Ik zag hoe ze de keuken rondkeek: de bruine vloer, de gelakte vurenhouten tafel, die vergeeld was en hier niet paste.

'Het is maar tien minuten naar het station,' zei ik, 'met de trein ben je in vijftig minuten in de stad en met de tram naar de universiteit gaat het snel.'

Mama keek naar buiten, alsof ze niet geloofde wat ik zei of alsof ze naar iets anders luisterde in mijn stem.

'Denk je hier werk te kunnen krijgen?'

Ze kwam naar me toe, stond dicht bij me naast het fornuis en keek in de pan met chili, ik voelde haar arm tegen de mijne. Ik liep naar de gootsteen en draaide de kraan open.

'Dat weet ik niet', zei ik.

'Er is hier vast wel een schoolpsychologische dienst of iets dergelijks.'

'Ja, vast wel', zei ik.

Ik wist wat ze dacht. Er was hier geen werk als ik verder wilde, als ik ook maar enige ambitie had en dat had ik immers, dat wist ze: maar alles was anders nu, het ontglipte me als ik eraan dacht, het waren niets dan woorden.

Ik vulde de grote kan met water, schonk mijn glas vol en dronk, schonk water bij en zette de kan op tafel. Ik stond daar met dat koude glas in mijn handen.

'Ik weet niet of ik ooit psycholoog word.'

Ze keek me aan zonder iets te zeggen. Haar ogen keken bang.

'Ik ben ziek verklaard.'

Ze keek me aan, knikte toen nadenkend, alsof haar iets duidelijk werd, een samenhang.

'Ben je ziek, Signe?' vroeg ze zachtjes, alsof ze niet wilde dat iemand in de kamer zou horen waar we het over hadden.

'Ik ben in ieder geval ziek verklaard', zei ik, luid en duidelijk. 'Het was plotseling volkomen zinloos om te studeren, om wat dan ook te worden.'

Het helpt immers niets om naar buiten toe iets te worden als het vanbinnen helemaal leeg is, dacht ik, maar dat zei ik niet. Ze keek door de deuropening de kamer in, ze keek naar Einar en naar mijn broer bij de boekenkast. Toen vroeg ze langzaam, met nadruk op elk woord: 'Is alles in orde?'

Het was alsof de woorden codes waren voor dat wat ze niet kon uitspreken, en dat wat ze niet kon uitspreken was: Behandelt Einar je goed? Is hij het die je tegenhoudt, je hindert, is hij de reden dat je je opleiding niet afmaakt? Heeft hij je hiertoe gedwongen? En diep weggestopt in de woorden: Slaat hij je?

Ik antwoordde niet. Ik was ziek, ik zat midden in iets leegs en kouds en zinloos. Het ging niet goed met me, tegelijkertijd ging het wel goed met me vergeleken met dat waar zij aan dacht, naar ik meende, niemand sloeg me of dwong me tot iets. Wat ik ook zou antwoorden, het zou verkeerd zijn.

Ze draaide haar hoofd om en keek me aan. Ze leek ongeduldig, boos, alsof ze me de mogelijkheid had geboden me te redden en het belachelijk vond dat ik die van de hand wees. Ze boog zich voorover en keek me vanonder haar pony met die grote ogen aan.

'Kijk me aan, Signe, beantwoord mijn vraag: is alles in orde?'

Ik keek haar aan en knikte kort.

'Ja, mama, alles is in orde.'

Ze geloofde me niet, of het was niet het antwoord dat ze wilde horen, of niet op die manier. Ik zette het glas weg en nam het deksel van de rijstpan, de rijst was gaar.

'Het eten is klaar', riep ik, zo dat ze het in de kamer konden horen. Ellen kwam aangehold, zette af, nam een sprong over de drempel en gleed over de gladde vloer de keuken in.

'Opa en ik hebben alle rails gebruikt, de spoorbaan is reuze-groot geworden.'

Ze gaf met haar armen aan hoe groot, maakte een paar enorme kringen in de lucht. Ze ging op haar stoel zitten. Toen gleed ze er weer af.

'Komen ze niet?' vroeg ze en ze ging weer naar de kamer.

'Opa,' zei ze streng, 'nu moet je komen, het eten is klaar!'

'Ja, ja, ik kom', hoorde ik papa zeggen.

Hij kwam de keuken binnen, zijn haar zat door de war en zijn gezicht zag rood, hij leek wel een beetje buiten adem nadat hij overeind was gekomen. Ook mijn broer en Einar kwamen bin-nen, ze gingen allemaal zitten, ik zette het eten op tafel, papa stond weer op en verdween, toen kwam hij terug met een fles wijn, ik zag dat mama naar hem keek, ze wilde niet dat hij iets zou drinken. Einar stak de adventskaarsen aan.

'O ja, het is eenentwintig december vandaag', zei mijn broer.

'Herinner je je,' zei hij tegen mij, 'herinner je je de kerst-vieringen in de inrichting nog?'

Ik keek naar hem, glimlachte en knikte.

'We renden altijd gillend door de gangen in de kelder,' zei hij, 'ik herinner me dat ik het altijd doodeng vond daar beneden, zo vlak bij de lijkenkamer.'

Papa en mama keken glimlachend naar hem, papa hield zijn hoofd schuin.

'Doodeng,' zei papa lachend, 'dat heb je nooit eerder verteld.'

Hij zei het alsof hij het raar vond dat mijn broer bang was geweest, alsof hij het niet wilde geloven, niet echt. Naar zijn idee waren we nooit bang. Wat een onzin. Hij was voortdurend bang, papa, voortdurend, dacht ik, en dat weet jij heel goed. Hij was net zo bang als ik. We waren constant bang.

'Ik herinner me die kerstvieringen', zei mama zachtjes, ik zag het aan haar ogen, ze was er weer. Ze keek naar papa, zei ernstig: 'Daar wist je altijd iets speciaals van te maken, ik herinner me dat de patiënten het erg op prijs stelden, het was waarschijnlijk het enige echte kerstfeest dat ze hadden.'

Papa knikte en glimlachte flauwtjes.

'En jij, Signe,' zei hij met warme stem, 'jij zat altijd bij de meest onrustigen en het deed hen zo goed om jou daar te hebben, je was zo sociaal, weet je, door jou voelden ze zich prettig.'

Ik keek naar papa en glimlachte, het was alsof er twee vuisten tussen mijn schouderbladen zaten, aan beide kanten van mijn ruggengraat een, ze hadden datgene te pakken wat de rug bij elkaar houdt en draaiden eraan, alsof ze het langzaam in stukken wilden scheuren. Einar had de fles wijn opengemaakt, hij schonk de glazen vol, ik wist dat hij naar me keek en zich afvroeg wat ik zou zeggen.

'Eet smakelijk', zei ik.

'Het ruikt heerlijk', zei mama en ze boog zich naar voren, keek in de schalen.

'Gelukkig,' zei ik, 'ik geloof dat het wel goed gelukt is.'

Ze schepten op en begonnen te eten, ik gaf Ellen wat op haar bord, ze begon zich aan te stellen, speelde dat ze het eten snel in haar mond lepelde, als in een snel afgedraaide film.

'Dit vind jij vast lekker', zei papa tegen haar en toen keek hij naar mij, alsof hij wilde dat ik mijn kind terecht zou wijzen.

'Hm,' zei Ellen, 'reuzelekker', en daarop at ze gewoon en gedroeg ze zich rustiger.

Mama zat met haar vork rechtop in haar hand, haar hand lag op tafel naast haar bord, ze keek om zich heen. Ze kuchte en slikte.

'Wat een mooie ruimte is dit eigenlijk,' zei ze tegen mij, 'ik bedoel, zo mooi groot.'

'Ja', zei ik.

Ze keek naar me en knikte, alsof ze ergens aan dacht, ik keek terug. Ze liet haar blik nog eens door het vertrek dwalen.

'Jullie hebben geen gordijnen', zei ze.

'Waarom eet je niet, oma?' vroeg Ellen. 'Je eten wordt koud, hoor.'

Mama hoorde haar niet, ze keek naar mij.

'Ze begint zo wel', zei ik zachtjes tegen Ellen.

'Hier kan toch niemand binnenkijken,' zei ik tegen mama, 'en zo hebben we meer licht.'

'Ik heb gordijnen van een van de bewoners gekregen,' zei papa, 'rood met geel, het zag er zo mooi uit toen ik ze had opgehangen, dus nu kunnen jullie bij opa op bezoek komen', zei hij en hij keek naar Ellen, maar het was tot mij gericht.

Hij was directeur van een klein psychiatrisch nazorginstituut.

'Ik hou van zulke sterke, heldere, warme kleuren. Zoals de kleuren op de hoogvlakte', zei hij en hij keek me glimlachend aan.

Ik glimlachte terug.

'Herinneren jullie je die dunne, doorzichtige nylon gordijnen die we hadden?' vroeg mama.

'En die zware rode die ernaast hingen', zei mijn broer. 'Ongelooflijk lelijk. Waarom hadden we dat zo?'

'Zo hoorde dat,' zei mama en ze haalde haar schouders op, 'zo hoorde dat toen.'

Ze keek ons om de beurt aan en glimlachte om hoe het was geweest.

'Toch waren er veel mensen die het niet zo hadden', zei hij.

Geen van jullie tweeën wilde het zo, dacht ik, maar jullie wisten niet wat jullie anders moesten nemen en de inrichting die we hadden was een soort straf, jullie treiterden elkaar ermee dat de ander het niet zo zou hebben als hij of zij wilde, dacht ik, en mama nam de beslissingen, zij legde een of andere burgerlijke stijl vast, nam een of ander kant-en-klaar sjabloon tot leidraad dat bepaalde wat mooi was en hoe het hoorde, een sjabloon dat niets met haarzelf te maken had en zonder dat het haar beviel of haar lukte het consequent te volgen. Toen ze bij papa was weggegaan had ze het heel anders ingericht, ze had niets van de meubelen meegenomen, wilde niets van thuis hebben. En papa hield alles omdat het zo was zoals het was geweest, het waren de resten van ons leven, van toen we allemaal bij elkaar waren, van wat hij als onze beste tijd beschouwde.

'Die dunne gordijnen hadden we zodat niemand binnen kon kijken,' zei mama en ze lachte in zichzelf, 'alsof wij iets te verbergen hadden.'

Niemand zei iets.

Mama at verder, ze had haar vork in haar rechterhand genomen en tilde kleine porties rijst met vlees en bruine bonen naar haar mond. Het lukte me niet om nog een hap door mijn keel te krijgen, maar het lukte me ook niet om iets te zeggen. Alsof ze niet allebei al hun kracht nodig hadden gehad om alles te verbergen. Alsof we niet nog steeds bezig waren te verbergen en nog eens te verbergen, zoals we daar zaten en deden alsof alles in orde was en dat altijd zo was geweest. Wat moest ik zeggen? Mama had wel dood kunnen zijn en nu zat ze daar en beweerde dat er niets was geweest om bang voor te zijn. *Alsof wij iets te verbergen hadden.*

Einar vroeg mijn broer ergens naar en die begon over Amerika te vertellen en over zijn werk, ze stonden enorm onder druk, maar hij zei dat het hem beviel, het was zo'n inspirerende omgeving, zei hij, en het ziekenhuis had enorm veel resources en ongelooflijk goede mensen.

'Ja, een goed team is belangrijk', zei papa. 'Herinner je je nog toen we aan het huis werkten? Dat hebben we samen gedaan en jij was zo flink', zei hij en hij keek naar mijn broer.

Mijn broer keek papa recht aan zonder iets te zeggen, toen keek hij naar Einar.

'Wat doe je eigenlijk in een studio?' vroeg hij en Einar begon uit te leggen hoe hij dingen van anderen produceerde, hoe hij aan eigen melodieën werkte, dat er veel optredens bij kwamen kijken, en aanvragen, projectpresentaties, papierrompslomp.

'Maar het loopt goed', zei hij en hij keek glimlachend naar mij.

Ellen zei dat ze genoeg had en ging van tafel. Het was even stil. Ik nam nog een slok wijn.

'Ik hoor dat je ziek verklaard bent, Signe', zei papa.

Waar heb je dat vandaan? dacht ik. Ik bleef met het glas in

mijn hand zitten. Dat moest mama hem hebben verteld, maar ik snapte niet wanneer dan. Hij hield zijn hoofd schuin en keek me ernstig aan.

'Wat heb je, Signe?'

Hij probeerde medeleven te tonen, maar ik wist dat hij eigenlijk vond dat ik te slap was, dat ik me niet zo moest laten gaan, me ertegen moest verzetten.

'Ja,' zei ik, 'op het moment kan ik het even niet opbrengen.'

Ik zag hoe zijn ene wenkbrauw even samentrok. Het niet kunnen opbrengen. Die woorden provoceerden hem, hij had liever gezien dat ik op de grond plaste waar iedereen bij was dan dat ik zulke woorden over mezelf gebruikte. Mij provoceerden ze ook, slapheid irriteerde me, dacht ik. Maar dit was geen slapheid, ik kon het echt niet meer opbrengen, alles leek volkomen zinloos, en dat was een uiterst precieze beschrijving. Ik had geen kracht meer. Maar het lukte me niet dat hardop te zeggen. Ik zag alleen hoe papa me zat aan te kijken, bedroefd. Ik stond op het punt in huilen uit te barsten.

Signe, je bent dertig jaar, zei ik tot mezelf. Het hielp niet. Ik wilde dat hij me een flinke, lieve, fijne meid zou vinden. En nu was ik ziek verklaard. Een zwakkeling. En ik had niet eens lichamelijke klachten, geen kanker, zelfs geen koorts. Ik was een armzalige stakker. Hij keek me met een matte glimlach aan.

Mama begon te vertellen wat voor kerstversiering ze had, ze was al lang klaar, de kerstboom stond al dagen op zijn plaats, het enige wat nog restte was de kerstbrief, ze zei dat ze die die avond zou schrijven, als ze thuiskwam.

'Ik ben gek op kerst,' zei ze, 'ik wil dat de kersttijd lang duurt, dat die vroeg begint en laat ophoudt, die ene week voor oud en nieuw is te kort, dus ik begin stiekem vroeger en ga langer door.'

Ik keek op de klok. Het kinderuurtje begon.

'*Sesamstraat* begint', riep ik naar Ellen, die in de kamer met zichzelf in gesprek was, ze parkeerde de treinen onder een brug.

Ze stonden allemaal op, zeiden dat het lekker was geweest, ik merkte dat papa met opgeheven wenkbrauwen naar me keek, alsof hij wilde dat ik een uitvoeriger verklaring zou geven hoe dat zat met mijn ziekte, wat er eigenlijk met me aan de hand was, maar ik zei niets, ik keek naar Einar.

Papa ging naar de kamer. Einar stond tegen de aanrecht geleund terwijl de anderen langs hem heen liepen en toen alleen wij tweeën nog in de keuken waren, maakte hij een grimas waarvan hij wist dat ik die grappig vond, en glimlachte bemoedigend.

Ik ging naar de kamer en zette de tv aan. Einar zette koffie. Papa zat naast Ellen op de bank. Mama stond met haar hoofd schuin bij de boekenkast de titels te bekijken, het zwarte haar hing in een schuine streep langs haar hals onder haar oor. Ik bleef met mijn glas wijn midden in de kamer staan, mijn broer was naar buiten gegaan om te roken. Even later waren ze allemaal buiten, ook papa was inmiddels met roken begonnen. Ellen keek naar Pino, haar grote, ronde ogen waren op het scherm gericht. Ik ging naar de keuken om de kerstkoekjes op een schaal te leggen.

Vanuit de kamer hoorde ik de melodie van Klaas Vaak, die ijle, heldere jongensstem die zong, en toen een andere stem die een van de kinderrechten van de VN voorlas. Alle kinderen hebben recht op – en dan kwam er iets moois en corrects dat het merendeel van de kinderen nooit ten deel viel. Buiten scheen de maan op de velden, ze lagen daar als witte, sierlijke bogen van sneeuw, ik boog me voorover en keek naar de lucht, er waren ook sterren. De koekjes lagen op de schaal, peperkoekjes, kerstkransjes en donuts en bovendien had ik wat marsepein gesneden en in het midden gelegd. De koffie was klaar en ik goot hem over in een kan, haalde kopjes uit de kast en pakte rode servetten voor de koekjes. Ik hoorde dat het kinderuurtje was afgelopen, ik vroeg Ellen of ze wilde komen om me te helpen de spullen naar binnen te brengen.

'Ik kom', zei ze, ze zette de tv uit met de afstandsbediening en kwam de keuken in hollen.

'Kijk', zei ik en ik gaf haar de stapel servetten en een kopje, ze droeg het naar de kamer, ik hoorde de anderen de sneeuw van hun schoenen stampen en binnenkomen. Het was alsof dat gestamp in mijn lichaam gebeurde, ik voelde het in mijn maag. Houdt het dan nooit op, dacht ik, het deed pijn tussen mijn schouderbladen, de vuisten wrikten eraan en het was net of iemand er zware gewichten aan had vastgebonden, die veel te strak zaten.

Papa en mijn broer gingen op de bank bij het ronde tafeltje zitten, Ellen zat tussen hen in, ze boog zich over de schaal met koekjes en deelde aan iedereen een peperkoekje uit.

'Oma krijgt een ster', zei ze en ze legde een ster op mama's servet. Mama zat in de hoge leunstoel die Einar uit de studio had gehaald, Einar en ik zaten op keukenstoelen. Einar stond op en ging naar de cd-speler, zette muziek op. Ik schonk koffie in. Mijn broer nam een hapje van een kerstkransje.

'Lekker', zei hij en hij keek me glimlachend aan.

Ik probeerde hem over Amerika te laten vertellen. Hij had het over de enorme hoeveelheid auto's in Boston, het was absurd, maar zonder ging het ook niet.

'Ik herinner me de chaos als ik 's morgens van jou naar de campus ging,' zei mama, 'het was net als je op de film ziet: overal auto's en files en mensen.'

Ze had in haar vakantie bij hem gelogeerd en dat gecombineerd met een of andere zomercursus op Wellesley.

Mijn broer keek naar haar, hij zei niets. Toen keek hij weer naar mij, hij vertelde verder over zijn werk, hoe zwaar de concurrentie er was, het ging erom je naam als eerste onder zoveel mogelijk papers te krijgen, te publiceren en nog eens te publiceren. Hij vertelde van een man die voortdurend op slinkse wijze probeerde coauteur te worden van wat hij schreef.

Papa zat achterovergeleund van zijn koffie te nippen, luisterde naar wat mijn broer vertelde, hij fronste zijn wenkbrauwen, deed alsof wat mijn broer zei moeilijk was, maar ik wist dat het kwam omdat hij trotser was dan hij wilde laten blijken.

Mama zat volkomen stil in haar stoel. Misschien wilde ze dat ik iets over Wellesley zou vragen of zo, me een beetje geïnteresseerd zou tonen. Ze had me een stapel foto's laten zien toen ik op een zondag met Ellen bij haar op bezoek was, ik herinnerde me verschillende achtergronden met mama of mijn broer op de voorgrond: universiteitsgebouwen, een meer, groene gazons met grote bomen, of mama samen met een paar anderen van de cursus. Mama had nog geen slok van haar koffie genomen. Ze had Ellens sterretje van peperkoek in haar hand en draaide het voortdurend in het rond. Mijn broer vertelde hoe weinig vrije tijd ze hadden, vijf weken vakantie was een onvoorstelbare eeuwigheid daar.

'Tijd,' zei hij, 'dat is het leven.'

Papa knikte. Mijn broer zei dat Einar en ik boften dat we zo veel tijd hadden. Ellen was op de grond onder tafel gekropen, ze speelde dat het regende en dat ze onder een grote boom schuilde, praatte met iemand daar beneden, zachtjes.

'Ze is erg zelfverzekerd', zei mama tegen mij.

'Ja,' zei ik, 'daar lijkt het op.'

'Het is niet mis voor een vierjarige om zo rustig te blijven bij zo'n complexe sociale constellatie.'

Ze knikte bij zichzelf, het glanzende haar wiegde heen en weer, ze keek op haar trui, plukte wat pluisjes weg. Mama werkte bij een adviesbureau voor pedagogische begeleiding in geval van bedrijfsreorganisaties. Ik hoorde mijn broer praten over een nieuwe band die hij had gehoord, hij en Einar verdwenen in een gesprek over wat er eigenlijk nieuw was aan het nieuwe.

Papa vertelde dat hij een paar sneeuwhoenderen in de vrieskist had en mama zei dat ze best sneeuwhoen konden maken in plaats van rollade als we kwamen. Het was duidelijk dat ze het erover gehad hadden, misschien hadden ze het in de auto wel zo gepland. Mama's grote, blauwe ogen vroegen welke dag het werd.

'Misschien kunnen we maandag komen', zei ik.

Maandag was de dag na Kerstmis. Mijn broer zou dinsdag weer vertrekken, dus dan zouden we hem nog een keer kunnen zien.

Ik voelde dat mama reageerde, ze trok haar wenkbrauwen op en deed haar mond open.

'Dat is prima', zei papa.

Ik zag hem voor me met die kleine, bruine vogels bij mama thuis op de aanrecht, fluitend en zingend terwijl hij ze plukte.

'Komen jullie niet een van de kerstdagen dan?' vroeg mama.

Haar stem klonk bits.

'We waren van plan met Kerstmis hier te blijven', zei ik.

'Ja, maar een van de kerstdagen', zei mama, alsof ik me alleen maar had versproken.

'We willen hier blijven,' zei ik, 'maar de dag na kerst is toch ook nog een beetje Kerstmis?'

Voor mama telden alleen kerstavond en eerste, hooguit tweede kerstdag, dat wist ik best. Het werd volkomen stil. De muziek moest afgelopen zijn, ik hoorde Ellen niet meer onder tafel, ze moest ergens anders heen zijn gegaan zonder dat ik het had gemerkt. Mijn rug deed pijn. Mama deed een paar keer haar mond open terwijl ze me aankeek, maar ze deed hem weer dicht zonder iets te zeggen. Toen stond ze op. Ze ging de gang in, ik hoorde haar haar jas van het hangertje pakken, ze stampte met haar laarzen om ze aan te krijgen. Daarna werd het stil. Ik had niet gehoord dat ze de buitendeur opendeed, maar ze kwam ook niet terug naar de kamer. Einar schudde zachtjes zijn hoofd en trok zijn wenkbrauwen op, alsof hij wilde vragen wat er eigenlijk aan de hand was. Ook papa zag eruit alsof hij er niets van begreep. Hij keek naar de klok.

'Wat heeft ze? We hoeven toch nog niet weg?'

Ik schudde mijn hoofd.

Stel je niet zo aan, papa, dacht ik, maar ik zei het niet. Je weet heel goed wat er aan de hand is, je bent volledig op de hoogte. Jij wilt net zo goed dat ik zeg dat we komen, dat we met kerstavond bij elkaar zijn, dat we rond de tafel zitten en glimlachen en zeggen dat alles in orde is.

Ellen kwam de trap af, ze sprong van de ene tree op de andere, ze wachtte tot we allemaal naar haar keken en toen nam ze een grote sprong op de grond en kwam naar ons toe. Ze merkte waarschijnlijk hoe stil het was, ze keek om zich heen: 'Waar is oma?' vroeg ze.

'Die is in de gang', zei ik.

'Waarom?'

Ik zei dat ik niet wist waarom. Maar dat was niet waar. Ze zat daar omdat we met Kerstmis niet op bezoek kwamen.

Mijn broer vroeg Einar weer iets over muziek, ze begonnen te praten over verschillende manieren om melodieën op te bouwen, welke elementen noodzakelijk waren om er überhaupt een melodie van te maken. Ellen kwam bij me op schoot zitten, ze begon me in mijn hals te kietelen, ik nam aan dat ze wilde dat ik vrolijk zou zijn en zou lachen, maar dat lukte me niet, ik voelde het bloed door mijn lichaam pompen, ik voelde mijn hart hameren, het koude zweet liep uit mijn oksels.

Ik tilde Ellen op de grond en stond op, ik liep naar de gang, ik

had het gevoel alsof mijn lichaam uit elkaar viel, alsof de lede-
maten loszaten en al mijn lichaamsdelen het begaven tijdens het
lopen. Ik deed de deur open. Daar zat ze, op een stoel, met rechte
rug, ze had haar jas aan, haar laarzen dichtgeregen, haar sjaal om
en haar wanten aan.

'Mama,' zei ik behoedzaam, 'jullie gaan nog niet weg.'

Ze keek voor zich uit, staarde naar de muur.

'Kun je niet weer binnenkomen?' vroeg ik zacht.

Langzaam hief ze haar hoofd op en ze keek me aan alsof ik een
vreemde was. Toen keek ze weer recht voor zich uit.

'Mama', zei ik zacht.

Ze keek met een ruk op en keek me hard aan, het haar zwiepte
als een zweep, haar blik was scherp. Ze deed haar mond weer
open, maar ze zei niets.

'Goed,' zei ik, 'zoals je wilt.'

Ik deed de deur weer dicht en ging terug naar de kamer, ging
op de stoel zitten, ik voelde dat ik koude handen had, ik had het
koud over mijn hele lijf, ik liep naar de verwarming en zette de
thermostaat hoger.

Papa stond op, liep naar de kamerdeur en deed die open, hij
verdween de gang in. Ik stond tegen de verwarming aan naar zijn
stem te luisteren.

'Wat is dit nu?' zei hij rustig. 'Je kunt hier toch niet blijven
zitten. Kom mee naar binnen.'

Hij praatte zacht en op besliste toon. Ik zag ze voor me, papa's
donkere ogen op mama's kwade blik gericht, tot ze een zucht
slaakte en opstond van die stoel, die vol hing met Ellens winter-
goed, langzaam haar laarzen weer uittrok, haar jas losknoopte en
hem op zijn plaats hing, haar bleke, smalle handen over dat
zachte, zwarte bont.

Papa kwam terug en ging op de bank zitten.

'Signe, Signe', zei hij bedrukt.

Hij keek me streng aan, toen veranderde zijn blik, kreeg iets
verdrietigs, alsof hij niet begreep waarom ik er zo'n punt van
maakte, zo erg was het toch niet, dat kon ik toch wel voor mama
overhebben.

Ze kwam weer binnen, ik hoorde haar de deur achter zich dichtdoen, ze kwam binnen en ging op het uiterste puntje van de leunstoel zitten. Ze keek recht voor zich uit naar de vloer, zei niets. Ze leek verstijfd, alsof ze zich in woede samenbalde.

Einar en mijn broer waren naar de cd's gegaan. Ellen zat op haar knieën op de bank. Ze begon geintjes te maken met papa, ze maakten grimassen, elk op hun beurt. Ik stond met één hand op de verwarming en voelde hem aan mijn vingers branden, in de andere hield ik mijn kopje koffie. Ik keek naar mama. Ze hief haar hoofd op en keek me recht aan, ik zag de streep van het haar boven haar ogen, ze beet haar tanden op elkaar zodat haar kaak door haar wangen heen zichtbaar werd. Ze zei niets, zat alleen maar naar me te kijken.

Verdomme, dacht ik plotseling. Als ze haar zin wil doordrijven dan moet ze dat in ieder geval openlijk doen. Ik wilde dat ze het uitsprak, zodat ze ervoor moest instaan.

'Wat is er, mama?' vroeg ik.

Ik zei het gewoon. Ik beefde langs mijn ruggengraat, van de kou. Ik had nooit eerder iets gezegd, niet zo hard tegen hard als ze in zo'n bui was. Ik had dan altijd geprobeerd haar te helpen, dat te doen wat ze wilde, haar op een of andere manier te beschermen, onopvallend haar kant gekozen. Nu een confrontatie aangaan betekende het hele systeem op de helling zetten, het op het spel zetten zonder te weten wat de gevolgen konden zijn.

Ze zei niets.

'Mama,' zei ik, 'we komen maandag, dat is over minder dan een week. Waarom ben je zo boos?'

Ze deed haar mond open.

'Ik ben niet boos', zei ze traag, alsof ze bij zichzelf te rade ging terwijl ze het zei.

'Mama,' zei ik, 'je bent gewoonweg woedend.'

Iedereen was stil. Niemand bewoog zich, iedereen luisterde.

'Eén kerstdag,' zei ze met nadruk op elk woord, 'één kerstdag kunnen jullie toch wel komen.'

Ze keek me met haar grote, donkere ogen aan.

'Is dat te veel gevraagd?' vroeg ze zachtjes.

'En Ellen.'

Haar stem klonk mat.

Nee, dat is niet te veel gevraagd, dacht ik, ik wist wat ze bedoelde met Ellen. Zou ze met kerst haar kleinkind niet te zien krijgen, haar enige kleinkind?

Dus waarom niet toegeven en erheen gaan, haar de eerste of de tweede kerstdag gunnen, was het zo belangrijk voor me nu ik zag hoeveel dat voor haar betekende? Was dat zo? Was het echt zo belangrijk voor me?

Ja, dat was het.

Toen ik voor het eerst bedacht had dat het mogelijk was met kerst alleen te blijven, aan die zware, beladen dagen te ontkomen, het op onze eigen manier te vieren, toen het me duidelijk werd dat dat werkelijk mogelijk was, dat ik een keus had, een keus die met alles te maken had, met alles, niet alleen met kerst, dat ik werkelijk nee kon zeggen tegen iets wat ik niet wilde, dat ik überhaupt voelde dat er iets was wat ik niet wilde, toen dat me allemaal duidelijk werd, was dat een ongelooflijke opluchting geweest, ik had me zo oppermachtig gevoeld, alsof ik met één knie op een sneeuwscooter stond en de hoogvlakte op reed. Het had me een heel ander kerstgevoel gegeven: drie lege, vrije dagen die daar open voor me lagen. Het was een gevoel geweest, ja, op een bepaalde manier voor het eerst een gevoel werkelijk te kunnen kiezen, dat ik welbeschouwd ook ten opzichte van papa en mama een keus had.

Toen boog ze zich naar voren en zei langzaam en zacht en hard: 'Ik wil maar één ding. Ik wil dat degenen die bij mij op bezoek komen dat doen omdat ze daar zin in hebben. Zij die geen zin hebben in mijn gezelschap, hoeven niet te komen.'

Haar handen beefden.

'Als ik kom, probeer ik me behoorlijk te gedragen,' zei ik, 'kunnen we meer van elkaar verlangen?'

Mama maakte een wanhopig gebaar en kwam overeind, ze stond voor me, haar mond ging open en dicht zonder dat ze iets zei. Ze wees naar me met een vinger terwijl ze zei: 'Ik heb de kerstboom opgetuigd, de kribbe neergezet. En Ellen.'

Ze zweeg.

'Je zou het me kunnen gunnen Ellen met kerst te zien.'

Mijn rug deed zo'n pijn, alles deed zo'n pijn.

'Waarom moet je me onder druk zetten?' vroeg ik.

Mama slaakte een zucht.

'Ik begrijp niet waarom je me onder druk zet om samen met jullie kerst te vieren', zei ik.

Ik begon te huilen. Einar kwam naar me toe, hij legde zijn arm om mijn schouders, bleef me over mijn rug strelen. Het was alsof er een klein, zwart beekje door mijn lichaam stroomde.

'We waren zo bang, we lagen daar 's nachts en waren zo bang,' zei ik, 'en we waren helemaal alleen.'

Mama keek me aan alsof ik iets vertelde wat absoluut niet waar was. Papa stond op, hij kwam rond de tafel naar me toe.

'Maar, Signe', zei hij en samen met mama stond hij voor me, hij boog zich naar voren en zijn stem klonk teder: 'Waren jullie bang? Waar waren jullie dan bang voor?'

Hij hield zijn hoofd schuin, dat glimlachje bij zijn mond, zijn ogen waren klein, zijn blik hard.

Ik wist niet wat ik moest zeggen. Mijn tranen droogden op. Alles waaraan ik had gedacht verdween, ik hoorde een hoge, ijle toon, zoals wanneer er een harde wind waait. Ik keek naar papa, ik voelde hoe koud ik het had.

Mijn broer zag ik niet, hij stond ergens achter me. Ellen kwam naar me toe en pakte mijn hand vast.

'Je mag niet boos op mama zijn, opa', zei ze.

Papa keek me aan terwijl hij langzaam zijn hoofd schudde.

'Jij ook niet, oma,' zei Ellen, 'jij mag ook niet boos op mama zijn.'

Mama merkte haar niet op, ze stond naast papa te beven.

'Als jij denkt, Signe,' begon ze, ze praatte langzaam, 'als jij denkt dat dat het hele verhaal is, dan heb je het mis. Dat is jouw versie. Jij vertelt jouw verhaal, maar dat is maar de helft, vergeet dat niet. Er ontbreekt vijftig procent,' zei mama, 'je moet niet geloven dat jij in het bezit bent van de waarheid.'

Ze liep naar de deur, papa liep achter haar aan. Ik keek naar hun lichamen, mama's dunne nek boven de zachte, grijze trui, papa's witte hoofd en brede rug.

Er viel niets meer te zeggen, ik had alles gezegd en het was alsof ik niets had gezegd. Het maakte niet uit.

Mama draaide zich naar me om met haar hand op de deurpost.

'Weet je, Signe', zei ze. 'Ik zal je één ding vertellen. Ik dacht dat ik een goede verstandhouding met mijn kinderen kon opbouwen. Ik dacht dat het me zou lukken een goede manier te vinden om met elkaar om te gaan.'

Ze kneep haar ogen half dicht en keek me hard aan. Toen ging ze naar de gang, ik hoorde de klerenhanger, met haar jas aan verscheen ze in de deuropening, haar sjaal en haar wanten hield ze in haar hand.

'Jij denkt misschien ook dat je dat zal lukken,' zei ze, 'maar als het je niet lukt om met mij te praten, dan moet je je niet verbeelden dat het je zal lukken om een goede verstandhouding met Ellen op te bouwen.

Het zit in je,' zei ze, 'je geeft het door.'

Ik hoorde Ellen roepen, ze riep oma, er was iets wat ze wilde vertellen of wilde laten zien voordat oma wegging. Mama hoorde haar niet, ze keek alleen naar mij, staarde me vanonder dat zwarte, recht afgeknipte haar aan. Toen draaide ze zich om, ik hoorde haar de buitendeur opendoen, ik liep achter haar aan en zag dat ze naar buiten ging. Ze liet de deur achter zich openstaan, ze liep de stoep af en het pad over.

Ook mijn broer ging naar de gang en trok zijn jas aan. Einar bracht onze kerstcadeautjes voor hen, die in een grote, blauwe plastic tas zaten. Mijn broer zag er verdrietig uit, ik bedacht dat hij vast had gewild dat er geen ruzie zou komen als hij eens een keertje thuis was.

'Het spijt me', zei ik.

'Trek je niets van hen aan', zei hij zachtjes tegen me, hij probeerde te glimlachen.

Ik voelde hoe de kou door de open deur binnendrong.

'We spreken elkaar nog', zei hij en hij knikte naar Einar. 'Tot ziens, Ellen', riep hij het huis in.

'Tot ziens', riep Ellen terug.

Ze had haar cassetterecorder gepakt en luisterde naar een verhaal. Papa had zijn jas aangedaan en zijn muts opgezet. Hij gaf Einar een hand, ze knikten naar elkaar en wisselden een blik, wensten elkaar een prettige kerst.

Ik keek mama na, ze liep door, ik zag haar zachte, zwarte jas in de witte sneeuw, het donkere haar leek net een hoed. Een stukje verderop bleef ze staan om een sigaret op te steken, toen liep ze verder.

'Kom je?' zei mijn broer tegen mijn vader.

'Ik zal met haar praten', zei papa tegen mij. 'Dat komt wel weer in orde. Het leven heeft zo zijn nukken. Maar we hebben wel voor hetere vuren gestaan, wat jij, Signe. Alles komt in orde, weet je.'

Ik antwoordde niet. Zijn woorden waren zonder betekenis. Hij keek me aan alsof hij hoe dan ook gelijk had, hij wist dat het zo zou aflopen als hij zei. Bijt je niet vast in al dat verdriet, Signe, zei zijn blik. Alsof dat was wat ik probeerde.

'Tot ziens', zei hij en hij ging weg.

Ik keek hem na. Hij had geen handschoenen aan, hij had nooit iets aan zijn handen, nooit gehad ook, zelfs niet in de bergen.

Ik keek naar buiten in de maanverlichte duisternis, ik zag mama bij de boom, zwart in de witte sneeuw, mijn broer liep een stukje achter haar aan, met gebogen hoofd en met de blauwe tas in zijn hand. Papa draaide zich op het pad om, hij zwaaide een keer en stak ook een sigaret op, toen liep hij door. Ik stond in de deur en keek hen na, een voor een, tot ze verdwenen waren.

II

S igne stond buiten op de weg in de sneeuw naar het grote, witte huis te kijken. Het zag eruit als een slot, ze zag de adventsster midden voor het raam van de balkondeur op de eerste verdieping, tussen de donkerrode, zachte gordijnen. Nog maar een week, dan was het Kerstmis. Het was nog donker en toch was het al twaalf uur geweest. Het zou ook niet licht worden, alleen midden op de dag een beetje schemerig. Daarom past het zo goed dat het nu Kerstmis wordt, dacht ze. Het past dat het Kerstmis wordt, omdat we de vreugde en de warmte en de kerstverlichting nu zo nodig hebben. En de cadeautjes. En alle koekjes. En alle snoep en tekenseries en de films van Donald Duck. En God natuurlijk. Die hebben we echt nodig. Ja, dacht ze. Want we wachten immers op Jezus.

Ze had haar wanten aan, pakte er een beetje sneeuw mee maar die was te droog en gleed er weer af. Ze keek naar het huis van Henning, dat naast dat van hen lag, alleen een stukje lager, het was rood. Daar scheen flauwtjes licht van een lamp in de kamer, maar verder was het donker, het leek niet alsof er iemand thuis was. Ze draaide zich om en ging op pad, de sneeuw kraakte onder haar voeten. Ze keek naar de huizen waar ze langskwam, ze wist wie er allemaal woonden. Ze was op weg naar Inga. Misschien was ze nog te vroeg. Het was zaterdag en dan sliep Inga altijd uit als ze vrij hadden, bleef gewoon in bed liggen dommelen. Signe werd altijd vroeg wakker en stond dan meteen op, ze hield er niet van de tijd zomaar te verlummelen. Dat doet niemand bij ons thuis, dacht ze.

Voordat ze bij de weg kwam waaraan Inga woonde, liep ze langs een lang, vlak stuk. Midden op die vlakte lag de inrichting waar haar vader werkte. Daar binnen brandde licht, het gele schijnsel viel door de ramen op de sneeuw, door al die vierkante ramen in dat grote, platte gebouw. Ze zag geen mensen. Misschien slapen ze nog, dacht ze plotseling, liggen ze op hun kamers te rusten. Net als Inga, dacht ze.

Het huis waar Inga woonde lag in een bocht in de weg tegen een heuvel. Alle wegen hier waren hetzelfde, bogen van de grote weg af, vormden een cirkel met aan weerskanten huizen en kwamen dan weer op de grote weg uit. Vanaf die zijwegen liepen paden het bos in en vanuit het bos voerden paadjes de bergen in. Daar eindigden alle sporen, daar was het alleen maar open en leeg, geen bomen, geen struiken, geen grote stenen, alleen heide en mos. Maar dat is 's zomers, dacht Signe. Nu ligt overal sneeuw. En is het gauw Kerstmis. Ze glimlachte als ze aan kerst dacht.

In een aantal huizen hingen sterren voor de ramen, soms zag ze daarachter het blauwe licht van de tv, er was vast sport. Er waren een paar ramen waar noch sterren, noch adventslichten te zien waren, alleen de gewone keukenlamp. Haar moeder zei altijd dat ze de versiering het ergst miste hier in het noorden, de mensen hier versierden hun huizen niet en trokken ook geen mooie kleren aan met kerst. Dan heeft het niets feestelijks, zei haar moeder altijd. Ze had al dagen tevoren de ster opgehangen en de kandelaar met de zeven kaarsen neergezet, zodat ze op de eerste adventszondag alleen de stekker er maar in hoefde te steken.

Signe liep snel, naar de deur van elk huis was een pad vrijgemaakt in de sneeuw, ze kwam langs het huis waar een meisje woonde dat bij haar broer in de klas zat. Daar was nergens licht te zien. Haar moeder was gestorven en haar vader was veel weg.

Inga's vader stond buiten voor het huis te roken. Hij droeg werkkleding, hij was timmerman en bijna altijd in touw. Hij was klein en mager en donker, zijn kaken vormden schaduwen in zijn gezicht en hij had heel sterke handen. Misschien kwam ze niet gelegen. De blauwe bestelwagen stond achter hem. In die auto had hij al zijn gereedschap en hij gebruikte hem om hout te vervoeren. Eén keer hadden ze mee mogen rijden naar de kiosk, zij en Inga. Ze hadden achterin gezeten in de laadruimte, op de wielkasten. Hij had iets gezegd als: 'Ja, ja, de jongedames zijn te deftig om te lopen, maar niet voor snoep uit de kiosk.' Signe had bij zichzelf gedacht dat ze het niet hadden moeten vragen, maar Inga had iets geantwoord als dat hij dat nodig moest zeggen, hij nam de auto al als hij naar buiten ging om te kijken wat voor weer het was. Haar vader had geen antwoord gegeven, hij was gewoon ingestapt en weggereden. Signe had gedacht dat hij misschien ook boos op haar was om wat Inga had gezegd, misschien dacht hij wel dat zij ook dergelijke dingen zei. Toen ze bij de kiosk kwamen, had Inga om geld gevraagd en toen had haar vader gezegd: 'Denk je dat ik geld poep', maar hij had toch zijn portemonnee tevoorschijn gehaald en haar iets gegeven.

'Dag,' zei Signe toen ze vlak bij hem was, 'is Inga thuis?'

'Ja, ga maar naar binnen, kijken of ze al wakker is.' Hij glimlachte naar haar.

Signe liep langs hem heen en sloeg de hoek van het huis om naar de deur. Ze gebruikte de borstel en veegde voordat ze het halletje binnenstapte de sneeuw van haar laarzen en van de randen van haar broekspijpen. Haar bril besloeg, ze zette hem af en hield hem in haar hand. Het halletje was vol kleren, ze hingen aan de kapstok en lagen in een hoop op de grond in de hoek, ze zag het mooie, lila gewatteerde jack van Inga's moeder, in een andere hoek lagen schoenen, ze zag de laarzen van Inga onder een paar andere liggen. Ze klopte. Het duurde even voordat er geantwoord werd. Ten slotte klopte ze nog eens. Iemand riep iets. 'Kom binnen', het was niet de stem van Inga's moeder. Ze deed de deur open en bleef op de drempel staan, ze vroeg: 'Is Inga thuis?'

Vanuit de kamer hoorde ze verscheidene stemmen, het klonk alsof ze bezoek hadden. Er was hier altijd wel iemand, dacht ze.

'Ga maar naar haar kamer, Signe', riep Inga's moeder.

Ze dacht bij zichzelf dat het raar was dat Inga gewoon bleef liggen slapen als er bezoek was. Ze zette haar bril weer op, langzamerhand kon ze er weer doorheen kijken. Het rook naar wafels. De wafels van Inga's moeder waren de lekkerste die Signe kende, ze hoopte dat Inga zou vragen of ze er een paar wilde. Ze trok haar jas uit, stopte haar muts en haar wanten in de mouw en hing hem over een andere jas aan een haakje. Ze liep de gang in en deed de deur dicht, ging zachtjes naar Inga's kamer. Ze hoorde in de woonkamer iemand lachen. Het klonk alsof het de neef van Inga was, Signe had hem al eens eerder ontmoet. Hij was ouder dan zij, hij had zijn rijbewijs en had een groene auto met een spoiler en dubbele lampen.

D *own to the river, and into the river we'd dive, o-ho, down to the river we'd ride.* Inga's neef zong. Signe vond dat hij een goede stem had, hij zong zo ernstig, alsof hij het voor hen deed. Ze merkte dat Inga naar haar keek, ze zag dat Inga probeerde haar lachen in te houden, maar het lukte haar niet, ze begonnen allebei te giechelen. Ze reden aan de andere kant langs de rivier, naar school, waar de leraren woonden. De weg was ondergesneeuwd, het licht van de koplampen dat erop viel zag geel. Ergens aan de hemel, helemaal onderaan, was een soort rand te zien, een laatste restje licht. Signe en Inga zaten achterin. Inga's neef had de muziek hard gezet, er waren ook luidsprekers achter in de auto, ze hielden een hand voor het oor dat naar de speaker gericht was, ze keken elkaar aan en lachten weer. Hij spoelde terug en toen klonk hetzelfde nummer nog eens. *I come from down in the valley.* De grote zus van Inga zat voorin. Signe vond haar mooi. Ze leek zo lief, dacht Signe. Ze glimlachte zo lief en ze had zulke lieve ogen als ze de mensen aankeek. Ze maakten maar een klein tochtje. Signe wist dat ze speciaal hierheen reden omdat de zus van Inga langs het huis wilde waar de nieuwe invaller op school woonde. Inga boog zich naar voren en zei tegen haar zus dat ze veel te jong was voor iemand van negentien. Haar zus gaf geen antwoord. Ze haalde het zonneklepje naar beneden en keek in het spiegeltje, deed spuug op haar vinger en veegde wat mascara bij haar ene oog weg. Ze trok aan haar trui en rook onder haar armen, deed het klepje weer omhoog en keek naar de boerderijen waar ze langsreden, naar de sneeuwwallen, de markeringspalen. Inga fluisterde Signe toe dat haar neef verliefd was op haar zuster. Signe dacht dat hij gehoord had wat Inga had gezegd, want plotseling remde hij en de auto gleed schuin over de weg.

Ze zaten in de auto, vlak bij school, op het plein waar de

schoolbussen altijd stopten. Er klonk geruis van de verwarming, Inga's neef had de muziek zachter gezet. Geen van hen zei iets. Ze hadden een rondje gemaakt langs de huizen waar de leraren woonden, er was niemand buiten. Signe zag een brommer uit de richting van Luftjok komen. Er zat een meisje op, ze zat in de vierde. Ze liet haar voeten langs de grond slepen voor het geval de brommer zou gaan slippen. Signe zag haar de weg naar de rivier inslaan. Die weg zat vol kuilen, het meisje reed om de grootste gaten heen, zwaaide van de ene kant naar de andere. Een hond rende door de sneeuw naar een hek, sprong op een sneeuwhoop en stond naar het meisje te blaffen, ze kon het vaag horen. Toen klonk het nummer van Inga's neef weer. Signe draaide haar hoofd om en keek door de achterruit. Er was geen streepje licht meer aan de hemel, plotseling was het alsof het nummer niet meer hielp, ze werd er helemaal niet vrolijk van. Ze keek op haar horloge, ze moest al gauw naar huis.

'Zie je iets daarachter?' vroeg Inga.

Inga hing met haar hoofd achterovergeleund in de stoel. Ze keek naar Signe en deed toen haar ogen dicht.

'Nee, niets.'

Inga's neef startte de auto, maakte een scherpe bocht op het plein en gaf toen zo veel gas dat Inga tegen Signe aanviel toen de auto de weg op trok, ze reden weer terug naar de brug.

Daar zaten ze 's zomers altijd, er was daar een vijf meter hoog betonblok waar de brug met grote bouten aan bevestigd was. Ze zaten altijd midden tussen de twee grote stalen torens. Onder hen kwamen de auto's langs, over de brug, recht op de betonnen muur af. Daar splitste de weg zich, de ene kant op voerde hij naar school en verder naar de monding van de rivier en door de bergen naar Båtsfjord en Berlevåg, de andere kant op naar Finland, of je kon na een tijdje naar het oosten afbuigen, naar Kirkenes of Rusland, naar Moermansk, maar daar ging nooit iemand heen, er stonden soldaten langs de grens, dat wist iedereen, met geladen geweren. Die konden hierheen komen. Het was maar iets meer dan twee uur rijden, dan zouden ze er al kunnen zijn.

Ze zaten altijd op de rand van de muur naar de auto's te kijken.

Soms hadden ze een ijsje, of ze kochten warme viskoekjes. Ze liepen van de kiosk naar de brug, liepen er langzaam overheen, keken naar de rivier of ze zalm zagen, of mensen in boten, of ze keken naar het water dat stilstond en wit kleurde rond de visweer.

Ze keken naar de mensen die in de auto's zaten, Inga wist bijna altijd wie het waren, soms was het familie van haar. Jonge jongens deden vaak het raampje naar beneden en reden langzaam voorbij terwijl ze iets riepen. Signe keek naar hen en soms glimlachte ze, ze keek of ze met een van hen verkering zou willen hebben, ze dacht aan de ogen in de auto, of die vriendelijk waren. Inga wendde haar hoofd af, zij keek in ieder geval nooit naar ze als ze floten of toeterden.

Ze liepen de brug over en de steile aarden helling op tot aan de rand. Daar scheen de hele avond de zon en als het niet bewolkt was, zag de hemel vaak helemaal geel als ze naar huis gingen.

Inga's neef stopte bij de kiosk. Hij deed het raampje naar beneden, er stonden verscheidene andere auto's, hij was blijven staan bij iemand die hij kende. Signe wist niet wie het was. Ze begonnen Samisch te praten, Signe begreep daar niets van, maar ze wist dat Inga het verstond. Af en toe zag ze dat de jongen in de andere auto zich naar voren boog en naar Inga keek, dan keek hij weer naar haar neef en dan zeiden ze iets en lachten. Ze vroeg Inga wat ze zeiden, maar Inga zei alleen maar dat ze het niet wist en haalde haar schouders op, alsof ze zich er niets van aantrok. Signe bedacht dat ze eigenlijk naar huis moest. Het was al over halfvijf. De neef van Inga had gezegd dat hij haar zou brengen, maar het zag er niet naar uit dat hij ooit uitgepraat raakte en het was koud in de auto met het raampje open.

'Ik ga', zei ze.

'Waarom nou?' vroeg Inga. 'Wacht nog even, dan brengt hij je.'

'Nee,' zei Signe, 'dat is niet nodig, ik loop wel.'

'Zoals je wilt', zei Inga.

Ze leunde achterover en deed haar ogen weer dicht, het leek alsof ze in slaap zou vallen.

'Tot morgen', zei ze.

'Ja', zei Signe.

'Bedankt voor het ritje', zei ze iets luider, zodat Inga's neef het kon horen, maar hij praatte gewoon door. Ze deed het portier open en stapte uit. Er hingen bruine uitlaatgassen tussen de auto's, de achterlichten kleurden de sneeuw rood. Ze sloeg het portier dicht en trok haar wanten aan terwijl ze snel wegliep naar een plek waar ze frisse lucht in kon ademen. Ze liep tussen de kiosk en het benzinestation door langs de winkel, ze nam de steile weg binnendoor. Ze holde, vormde een ritme in haar hoofd terwijl ze holde, ze dacht aan het nummer in de auto, ze dacht aan Kerstmis. Ze keek omhoog naar de hemel, nu moest er een ster oplichten en zijn licht naar beneden laten schijnen, dacht ze. Maar ze zag geen sterren. Ze liep op een holletje over de vlakte langs de inrichting. Toen ze boven aan de helling was en de laatste bocht om kwam, hoorde ze een auto achter zich. Ze draaide zich niet om. De auto kwam langzaam naast haar rijden, maar ze liep gewoon door. Er klopte iemand op het raampje, zodat ze toch op moest kijken. Het waren Inga en haar zus en neef. De auto stopte. Inga boog zich over de stoel en deed het portier open.

'Wat heb jij een kapsones gekregen. Stap in', zei ze.

Signe ging naast haar zitten en deed het portier dicht. Inga's neef keek haar in de achteruitkijkspiegel aan en de auto begon te rijden. Hij keek weer naar de weg. Haar bril besloeg, ze zette hem af, keek naar zijn oor, zag kort, donker haar tegen die lichte, zachte huid boven de kraag van zijn jas.

'Maar ik was er toch al bijna', zei Signe.

'Als ik iets heb beloofd, dan hou ik me daaraan,' zei Inga's neef, 'en dan breng ik het meisje thuis, ook al is het maar vijftig meter.'

Inga's neef was een beetje gezet en Inga en haar zuster lachten luidkeels over wat hij zei, maar toch voelde Signe dat ze blij werd als hij zo over haar praatte.

Toen ze binnenkwam hoorde ze dat ze al waren begonnen met eten. Het was volkomen stil, en warm, ze hoorde alleen messen over borden snijden. De hond kwam haar op de trap tegemoet, ze zwaaide met haar hele achterlijf en leek zo blij. Signe aaide haar en maakte piepende geluidjes tegen haar, de hond sprong tegen haar op en ze drukte haar tegen zich aan.

'Hoi', riep Signe.

Niemand gaf antwoord. Ze deed snel haar jas uit, wierp hem over een stoel en ging toen naar boven naar de keuken. De adventslichtjes brandden. Ze zag dat haar moeder had gehuild, haar make-up vormde grijze strepen op haar wangen. Haar broer keek op zijn bord, hij at snel, het mes en de vork in die grote, smalle handen. Midden op tafel stond een langwerpige schaal met vis, die haar vader in de oven had gebakken, vis in gesmolten boter met wortelen en aardappelen. Ze ging zitten, vouwde haar handen en bad in stilte voor het eten. Toen pakte ze met haar vork een aardappel en begon de schil eraf te halen.

'Heeft iemand je met de auto naar huis gebracht?' vroeg haar vader.

'Ja, Inga's neef', zei Signe. 'En Inga's zus en Inga zelf waren er ook bij.'

Hij keek haar aan.

'Dus jij bent een rondje wezen toeren, Signe', zei hij.

'We zijn alleen maar even naar Seida geweest.'

Niemand zei iets. Signe bedacht dat het zo stom klonk. Alleen maar even naar Seida. Even naar Seida. Ze keek naar haar moeder. Die zag er verdrietig uit. Signe probeerde naar haar te glimlachen. Ze was klaar met haar aardappel en nam er nog een. Ze zag dat haar moeder nauwelijks iets had gegeten, een groot gedeelte van haar bord was nog wit en schoon, het bestek lag naast elkaar op de rand. Dat kwam vast door de boter, dacht Signe, haar moeder hield er niet van als hij zoveel boter gebruikte. En nog wel zulk lekker eten, dacht ze. Signe nam een groot stuk vis met een bruine korst van het bakken.

'Lekker', zei ze en ze glimlachte naar haar vader. Ze nam wat van de wortelen en begon te eten, ze dacht dat niemand op de hele wereld een vader had die zo lekker kon koken.

'Jullie moeder heeft een moeilijke zaak op haar werk op het moment', zei haar vader plotseling.

'Niet...' zei haar moeder tegen hem.

'Mag je daar niets over vertellen dan?' vroeg Signe.

Haar moeder slaakte een zucht. 'Het is heel erg geheim, ik kan mijn baan verliezen als ik iets vertel', zei ze.

Signe bedacht dat ze dat niet had hoeven zeggen, dat wist ze al, dat had haar moeder al eens eerder verteld. Haar broer was klaar met eten, ook hij keek naar haar moeder, zat rechtop op zijn stoel.

'Het gaat om iemand die twee kleine kinderen heeft en het niet klaarspeelt voor hen te zorgen', zei haar moeder.

'Hoezo speelt ze het niet klaar voor hen te zorgen?' vroeg Signe.

'Ze weet niet wat daarvoor nodig is, ze weet niet hoe ze ze moet wassen, verzorgen, hoe ze ze moet verschonen. Ze geeft hun eten dat ze niet kunnen eten, de kleinste heeft nog niet eens tanden', zei haar moeder.

'Waar woont ze?'

Dat wilde haar moeder niet vertellen.

'Wat gaan jullie doen?'

'We moeten ze weghalen.'

Signe keek uit het raam. Het was volkomen donker buiten, het raam was zwart, ze zag dat haar moeder zichzelf in het glas in de ogen keek, een hele tijd, alsof ze met die andere vrouw daar praatte. Toen pakte ze een sigaret, stak hem op en inhaleerde diep.

'En wie doet dat als jullie ze weghalen?' vroeg Signe.

'De politie.'

Haar moeder zuchtte. De kinderen zouden in een pleeggezin

worden ondergebracht. Haar moeder lachte even. Ze vertelde dat ze geadverteerd hadden om een geschikt gezin te vinden, maar degenen die gereageerd hadden konden zelf wel een pleeggezin gebruiken.

Signe zag voor zich hoe de politie voor het huis stopte, naar binnen ging en de kinderen meenam. Het blauwe licht dat over het dak van de auto zwaaide, over de sneeuw, over de gezichten, en het was donker, en koud, kleedden ze hen wel goed aan voordat ze hen meenamen? En iedereen kon het zien.

Ze dacht eraan hoe koud het was zonder jas, die kou dwars door je dunne trui. Haar broer trommelde met zijn vingers op zijn bovenbeen, het was het ritme van een nummer dat hij en zijn vriend in hun band speelden.

'Ik stel voor dat we morgen na het ontbijt een gezinsvergadering houden,' zei haar vader, 'we moeten bespreken wat we doen met kerst.'

Hij keek naar haar moeder. Ze slaakte weer een zucht en drukte haar sigaret op haar bord uit, drukte zo hard met haar vinger op de platgedrukte peuk dat haar nagel wit werd.

'Is het niet heerlijk,' zei haar vader, 'het is zaterdag, we hebben lekker gegeten, we hebben het warm en goed en we vormen een groep, we zijn een gezin.'

Signe keek naar hem en glimlachte. Ze hoorde dat de hond onder tafel begon te kwispelen, haar staart sloeg op de grond. Ze werd zo blij als haar vader in een goede bui was. Als ze in de bergen waren holde ze altijd voor hen uit, holde en holde de hele dag voor hen uit, een witte stip ver voor hen in de bruine heide, en dan kwam ze terug om hen te begroeten en verdween weer. Ook dan was haar vader meestal in een goede bui.

S igne en haar broer keken televisie, haar moeder zat naast
Signe op de bank een boek te lezen. Haar vader was in de
inrichting, hij had een activiteitenavond. Daar was hij zelf mee
begonnen en dat deed hij in zijn eentje. Het beviel de artsen
helemaal niet dat hij dat deed, die wilden de patiënten alleen
maar medicijnen geven en 's avonds vrij hebben. Ook de ergo- en
de sociotherapeuten waren niet bereid mee te doen. Haar vader
zei dat ze hem in de gaten hielden, dat ze het op hem gemunt
hadden. 'Ze komen altijd weer met iets anders. Regels en voor-
schriften. Maar de patiënten moeten toch ook leven,' zei haar
vader altijd, 'en het leven is mooi en groots en levend, Signe,' zei
hij, 'vreugde en verdriet, mijn kind.'

Die lieve, verdrietige ogen als hij zo praatte.

'We leven toch!'

Hij glimlachte naar haar. Signe was het met hem eens. Ze kon
hen niet begrijpen. Haar vader wilde de patiënten een zinvolle
bezigheid aanbieden, daar hoefde toch niet zo'n ophef over gemaakt te worden.

'Overal zijn altijd conflicten,' zei haar vader, 'denk daaraan,
Signe, er is altijd strijd. De artsen zijn van mening dat ze hun
macht verliezen', zei hij, 'en dat maakt hen bang. Ze zijn bang,
Signe,' kon hij lachend zeggen, 'de dokters met hun lange jassen
zijn bang!'

Ze voelde hoe sterk hij was, sterk omdat hij dat allemaal wist,
het zag en de macht van de artsen kende, maar er toch tegen
inging en deed wat juist was.

Signe ging wel eens mee. Er was eens per week zo'n avond en
soms ook op zaterdag. Ze zaten in de kantine van de inrichting en
iedereen was met iets bezig, sommigen breiden of haakten,
anderen borduurden, maar de meesten tekenden of aquarelleer-

den. En dan was er pauze met koffie en broodjes. Een van de mensen die in de keuken werkten, steunde haar vader en bakte altijd iets en vaak was er iemand die een gedicht voorlas of iets anders dat ze hadden geschreven of gelezen. Het leek alsof ze allemaal gek waren op haar vader.

Haar moeder legde het boek op het salontafeltje en stond op, pakte haar sigaret, die in de asbak was uitgegaan, en liep naar het raam achter hen. Signe draaide zich om en keek haar na, ze stond bij de balkondeur naar buiten te kijken, ze was mager, ze droeg dat blauwe pakje van velours, had donker, steil haar. Ze zag haar moeder haar sigaret opsteken, diep inhaleren en langzaam uitblazen terwijl ze in het donker naar buiten staarde. Misschien keek ze naar de weg, dacht Signe, naar de weg en de andere huizen die daar rond de keerplaats lagen.

Haar broer had bijna alle chips opgegeten, Signe nam de schaal op haar schoot, hij schopte haar met zijn ene voet in haar zij, maar niet echt hard. Ze at alle kleine stukjes op die nog over waren. Toen het programma was afgelopen, wreef hij in zijn handen en gaf een klap, hij stond op, liep naar de piano en begon een wals van Chopin te spelen. De muziek had hij van zijn muziekleraar gekregen, omdat hij zo goed was. Haar moeder was beneden naar de wc gegaan. Signe liep naar de deur met de adventsster waar haar moeder had gestaan en keek naar buiten. Hun straat had nog geen lantaarns. Haar moeder had het er wel eens over dat toen ze hier voor het eerst kwam, voordat Signe en haar broer waren geboren, er helemaal geen lantaarns waren geweest.

'Toen was het overal donker,' zei ze, 'de hele winter stikdonker. Kun je je dat voorstellen?' vroeg ze. 'En geen bakker en geen brood in de winkels.'

'Kun je je dat voorstellen?' kon ze plotseling tegen Signe zeggen. 'Kun je je voorstellen hoe het was voor een meisje uit de stad om hierheen te komen en geen brood te kunnen kopen?'

H et rook naar bacon toen ze wakker werd, ze hoorde de radio boven in de keuken, hij stond hard. De hond lag niet naast haar bed, haar vader had haar er vast uitgelaten, Signe deed haar ogen dicht en zag voor zich hoe ze langs de weg liep, die o zo lichte pasjes in de witte sneeuw. Ze dacht aan de handarbeidlessen die ze de laatste dagen voor de kerstvakantie op school zouden hebben, ze dacht aan alles wat ze zou maken en aan het gele schijnsel van de lampen op de gezichten, de deuren van alle klassen zouden openstaan, zodat je kon rondlopen en overal naar binnen kon gaan.

Toen ze de keuken binnenkwam stond haar vader met zijn rug naar haar toe bij het fornuis. Hij deed bacon op een bord.

'Hoi', zei Signe.

Haar vader draaide zich om en vroeg of ze een of twee eieren wilde.

'Een', zei Signe terwijl ze ging zitten. Ze keek toe hoe haar vader de eieren brak in de koekenpan, zijn bruine, sterke handen en die kleine, witte eieren. Haar moeder kwam in haar lichtblauwe ochtendjas de keuken binnen, ze ging zitten en stak een sigaret op, stond op en schonk een kopje koffie in die haar vader had gezet, ging weer zitten, keek uit het raam, maar het was volkomen donker, in de ruit was alleen het beeld van hen drieën daarbinnen te zien. Op de radio had een vrouw het met heldere stem over een andere tijd, ze praatte over dingen die in die tijd gebeurd waren alsof het nu was, maar het was ergens in de jaren vijftig. Haar moeder nam een slok van haar koffie, toen stond ze op en nam haar kopje mee naar de gootsteen, ze draaide de warmwaterkraan open en liet het stromen tot de damp eraf sloeg, toen draaide ze de kraan wat zachter, goot wat koffie uit haar kopje en deed er warm water bij. Signe zag dat ze naar haar vader keek. Ze zette het kopje op tafel en deed de kast open, ze pakte borden en zette die op tafel, toen pakte ze glazen.

Het rode notulenboekje lag al klaar. Signe stond op en ging naar beneden om haar broer te halen.

Ze klopte aan en deed de deur van zijn kamertje open. Er hing een bedompte lucht. Op de grond lagen strips en boeken over computers, ze probeerde ertussendoor te stappen. Hij lag op zijn buik, zijn mond stond open, zijn bruine haar hing opzij van zijn voorhoofd en ze zag de rode pukkeltjes onder zijn huid. Ze trok voorzichtig aan zijn dekbed. Hij merkte het niet. Ze schudde aan hem met dekbed en al, maar het duurde lang voordat het haar lukte hem wakker te maken.

Signe stak de kaarsen aan terwijl ze samen zongen. Ze keek naar hen, naar haar vader, haar moeder, haar broer. Ze hadden de lamp aan het plafond uitgedaan, het schijnsel van de vier kaarsen vormde merkwaardige schaduwen op hun gezicht, alsof de vlammen een kleine zon waren en de gezichten de enige verlichte planeten ter wereld.

'Nog een week, dan is het kerst', zei ze blij.

Haar moeder keek haar aan alsof ze niet hoorde wat ze zei, toen glimlachte ze flauwtjes. Haar vader deed eieren en bacon op hun borden. De hond kwam binnen en ging onder tafel liggen, Signe aaide haar met haar voeten. Haar vader vertelde over de avond daarvoor.

'Er waren meer mensen dan anders', zei hij, hij maakte een tevreden indruk.

'Wat goed, papa', zei Signe.

Ze keek naar haar moeder. Ze is vast moe, dacht Signe. Of misschien is het die zaak op haar werk wel. Signe dacht aan dat blauwe licht van de politieauto, ze herinnerde zich die keer dat ze in de auto had zitten wachten terwijl haar moeder binnen in een kindertehuis was om met het personeel over een vertrouwelijke plaatsing te praten.

Toen ze allemaal klaar waren met eten, gaf haar vader het rode boek aan haar broer en zei dat het zijn beurt was om te notuleren. Vervolgens pakte hij de bijbel en las het verhaal voor van de vissers die keer op keer hun net uitwierpen in het meer Genesareth, maar niets vingen. Toen kwam Jezus op het strand naar hen toe en zei dat ze hun net aan de andere kant moesten uitwerpen. Ze geloofden niet dat dat iets zou helpen, maar ze probeerden het toch, voeren het meer weer op en wierpen hun net aan de andere kant uit. En bij de eerste keer vingen ze al zo veel dat hun boot bijna zonk, hij lag diep in het water tot de rand met vis gevuld. Ze voeren terug naar het strand, Signe zag voor zich hoe ze een vuur maakten, de vis bakten en hem met hun vingers opaten, zoals zij deden als ze in de bergen waren. Jezus riep Simon Petrus bij zich en vroeg hem hem te volgen en mensenvisser te worden. Ze zag voor zich hoe mensen aanbeten en aan enorme haken hingen te bungelen. Haar vader sloeg de bijbel dicht en keek naar hen.

'En, Signe,' zei hij ten slotte, 'waar gaat dit over?'

Hij glimlachte ernstig.

'Het gaat erom dat we elkaar moeten helpen en dingen samen moeten doen en erop vertrouwen dat het goed gaat. We moeten vertrouwen hebben.'

Haar vader knikte langzaam. Toen was haar broer aan de beurt. Hij zei niets, hij hield zijn blik neergeslagen op het open boek gevestigd waarin hij een 1 had geschreven met een streepje erachter. Signe zag dat hij met zijn ogen het midden van het boek volgde, een stukje naar boven en toen weer naar beneden. Signe zou willen dat hij haar vader nu meteen zou aankijken, hem met vaste blik zou aankijken en kort en bondig zou antwoorden in plaats van zo te blijven zitten. Niemand zei iets. Ze hoorde de hond piepen, ze was naar de kamer gegaan, Signe vermoedde dat ze sliep en een nare droom had. Haar vader bleef de hele tijd naar haar broer zitten kijken. Haar moeder zei niets, keek met haar grote, blauwe ogen naar haar vader, ze leek boos.

'Vormen wij een groep?' vroeg haar vader.

'Ja', zei haar broer, hij moest zijn keel schrapen en zei met vastere stem nog eens: 'Ja.' Haar vader keek naar haar.

'Ja', zei ze, snel en luid en duidelijk, ze glimlachte.

Haar vader keek naar haar moeder, die knikte zwakjes terwijl ze in het licht van de kaars keek; het was alsof ze weer aan iets anders dacht.

'Vormen wij een groep?' vroeg haar vader haar moeder nog eens met een indringende, zachte, bijna fluisterende stem. Signe wilde dat haar broer en haar moeder meteen duidelijker en beter hadden geantwoord.

'Ja, papa', zei Signe weer. 'Natuurlijk vormen wij een groep.'

Maar haar vader keek alleen naar haar moeder. Haar broer had zijn blik weer op het boek gericht. Haar vader begon te praten over wat het betékende om een groep te vormen, dat een gezin een groep is en over wat verantwoording is. Hij tekende verscheidene figuren en tabellen op een stuk papier, draaide het om en liet het zien, zei dat het om macht en sociologie ging. Signe hoorde dat hij rustig probeerde te blijven, maar zijn stem had iets scherps.

Haar moeder zei niets. Signe keek naar haar in het raam, maar haar moeder keek ergens anders naar. Haar broer schreef nauwkeurig en langzaam op wat haar vader zei, met zijn hoge, smalle schrift zette hij voor elk punt een keurig getal en liet dan een stukje open. De kaarsen brandden. Ze dacht aan het brandende vuur midden in de zomer, als het licht was. Toen maakten ze een lijstje met wat ze voor kerst wilden bakken, dat hadden ze immers nog niet gedaan. Signe wilde peperkoekjes en kokosmakronen. Haar vader wilde donuts. Haar moeder zei uiteindelijk dat ze kerstkransjes wilde. Haar broer wist niets te bedenken, hij zei oliebollen, maar dat was geen kerstgebak en toen schoot hem niets meer te binnen. Hij schreef alles op. Toen zei haar vader dat hij moest schrijven: Wij vormen een groep. We helpen elkaar en brengen dingen tot stand. We vertrouwen elkaar. Haar vader pakte het boek en liet het rondgaan, zodat ze er allemaal hun handtekening onder konden zetten. Toen sloeg hij het dicht. Signe stond op. Het was over halfelf.

'Blijf zitten', zei haar vader.

Ze ging zitten.

'Sta je zomaar op om weg te gaan, Signe?' vroeg hij.

Hij zei het met een trieste, lege stem, zodat het klonk alsof ze absoluut niets om hen gaf. Ze wist niet wat ze moest zeggen, zodat hij zou begrijpen dat ze van hen hield. Ze keek naar haar moeder, die keek terug, het was alsof haar blik zei dat ze niet begreep wat Signe zich in het hoofd haalde. Haar broer keek uit het raam. Ze keek weer naar haar vader. Hij beet zijn tanden op elkaar, keek haar aan. Langzaam schudde hij zijn hoofd, alsof hij iets achterhield, alsof hij teleurgesteld over haar was, maar probeerde dat niet te zeggen. Hij bleef haar lang aankijken.

'Ik dacht dat we dit samen deden', zei hij.

Signe knikte. 'Ja, papa', zei ze zachtjes.

Ze deed haar ogen dicht. Niemand bewoog, ze keek naar haar handen, die lagen stil en koud naast elkaar op haar schoot. Toen keek ze recht voor zich uit, door het raam. Ver weg, helemaal onder aan de hemel was een dunne, roze streep verschenen, het was alsof het landschap heel flauw verlicht werd. Ze zag de eindeloze rijen lage heuvels, die zich helemaal tot de monding van de rivier uitstrekten. Daar liep ze 's zomers altijd te hollen met de hond, tenminste over de voorste ervan, omhoog en weer omlaag. Ze dacht aan de zomer. Het was alsof de winter nooit meer op zou houden, de sneeuw nooit meer zou verdwijnen. In de zomer verbleven ze minstens drie weken in de bergen. Eerst namen ze de weg langs de rivier, daarna reden ze verder over het karrenpad, dan parkeerden ze daar de auto, pakten hun rugzakken en begonnen te lopen. Een paar uur lang wandelden ze door struikgewas en over heide, over drassige grond en door beekjes. Signe dacht eraan hoe haar voeten wegzonken in de graspollen in het moeras, ze zagen er hard en vast uit, net stenen, maar ze waren zacht en nat en vol water. Dan kwamen ze bij de rivier waar ze doorheen moesten waden, daar zat zalm in. In het begin van de zomer was hij ongelooflijk breed. Als ze daar doorheen waren, waren ze er bijna, dan moesten ze alleen nog een klein bos en wat struikgewas door en daarna een grote, hoge vlakte over waar het altijd een beetje waaide, zodat er bijna geen muggen waren. Als ze daar aankwamen was het al laat, maar vandaar zagen ze duidelijk de hele zon, niet boven hen, maar recht voor hen. Daarboven zetten zij en haar broer het op een lopen. Als ze aan het eind van de vlakte kwamen, zagen ze het kleine dal waar de plaggenhut stond, in de schaduw.

Haar vader deed zijn ogen open. Het was alsof de hond het in de kamer merkte, Signe hoorde hoe ze zich schudde en met haar nagels over het tapijt schraapte, ze piepte.

Haar vader keek op de klok en stond op. Haar moeder begon het beleg af te ruimen, toen sneed ze een plakje kaas af. Signe zag de gouden armband aan haar pols bengelen, aan de hand waarin ze de kaasschaaf hield. Haar moeder rolde het plakje kaas op en stak het in haar mond, ze bleef stil staan kauwen, toen schaafde ze nog een plakje af.

'Als we op tijd in de kerk willen zijn moeten we nu weg', zei haar vader.

S igne krabde het ijs van de voorruit, ze maakte een kijkgaatje voor haar broer en voor zichzelf en toen krabde ze nog een opening in de achterruit. Ze ging naast haar broer in de koude auto zitten. Haar moeder kwam in haar jas van schapenvacht het huis uit, ze had haar groene gebreide sjaal verscheidene malen om haar hoofd gewikkeld, ze had zich opgemaakt met blauwe oogschaduw, mascara en rouge op haar wangen. Ze zag er mooi uit. Ze stapte in, ze zeiden niets, ze wachtten op haar vader. Eindelijk kwam hij aangehold, trok het snoer van de motorverwarming eruit, stapte in, draaide het contactsleuteltje om en sloeg toen het portier dicht.

Signe had de wals nog in haar hoofd die haar broer op de piano had gespeeld, hij klonk steeds en steeds weer opnieuw binnen in haar. Het had iets te maken met hoe de melodie begon, zo sterk en helder, net een soort licht langs de hele hemel. Het was meer dan dertig kilometer naar de kerk. Ze zouden te laat komen, ze kwamen altijd te laat. Signe zou willen dat de wals in haar hoofd nooit zou ophouden, dat ze die melodie binnen zouden rijden. Ze zag voor zich hoe ze de kerkdeur opendeden en hoe de melodie hen volgde, zodat iedereen hem zou horen en zich zou omdraaien om te zien wie daar in die muziek gehuld binnenkwam.

Buiten zag ze niets dan sneeuw en kromme berkjes, een soort dun bos. Ze reden aan de andere kant, daar waar de school was, langs de rivier in de richting van de monding. Er woonde daar bijna niemand. Hier en daar lag een boerderijtje, verder was er niets. Ze reden langs de weg naar Masjok. Haar moeder stak een sigaret op en blies de rook tegen de voorruit. Haar vader had het met haar over een van de artsen op zijn werk, die was de avond daarvoor in de inrichting verschenen, haar moeder zei iets over die arts, het leek of ze wist wie het was, ze lachte kort. Haar vader werd steeds kwader naarmate hij verder vertelde, Signe hoorde het aan zijn stem, hij rukte aan het stuur, de auto slingerde. Hij zei dat ze tegen hem samenspanden, hij begreep heus wel dat het een tactiek was. Daar zei haar moeder niets op. Signe wist dat haar moeder bang was als haar vader reed, maar er was nu geen reden om bang te zijn. Haar vader had het immers alleen maar over zijn werk. Het was belangrijk werk dat hij deed, het ging erom de kant van de zwakkeren te kiezen en niet met hen die de macht hadden te heulen. Wie zou de patiënten helpen als haar vader dat niet deed? Ze dacht eraan hoe eenzaam ze waren, de mensen die daar woonden. Er waren ook jongeren, maar ietsje ouder dan zij, ze woonden allemaal alleen op een kamer. Ze dacht aan een meisje met lang, blond haar, ze was hooguit zeventien. Signe had de laatste activiteitenavond dat ze daar was, geprobeerd met haar te praten, maar het meisje had niet geantwoord, ze had Signe alleen maar aangekeken en toen had ze iets over een caravan gefluisterd. Signe bedacht dat zij nooit gek zou worden. Ze keek door het kijkgaatje naar de witte boomstammetjes, ze stelde zich voor dat elke boom een jaar van het leven was dat ze achter zich moest laten voordat er iets kon gebeuren. Ze drukte haar wang tegen de koude ruit, de roze streep was nu iets breder. Dat is God die met een lint naar ons zwaait, dacht Signe. Nog minder dan een week, dan is het kerstavond en hij zwaait om ons te laten weten dat hij gauw komt.

Z e stonden in het kerkportaal met de houten vloer te wachten tot er een psalm begon. Signe en haar broer keken elkaar aan. Toen het orgel begon te spelen, deed haar vader de deur open en ze gingen naar binnen, hij knikte naar een paar mensen die hij kende, Signe deed haar muts af, ze gingen op een van de voorste banken zitten, haar moeder knoopte haar mantel los, maar ze trok hem niet uit. Er waren niet veel mensen, het waren altijd dezelfde. Signe draaide zich om en keek waar de oude dame zat die altijd zo trilde. Ze zag haar niet. Misschien was ze wel gestorven.

Het was alsof het gezang te laat kwam, ver na het orgel. Signe keek omhoog naar de blauw geschilderde planken van het plafond. Haar vader sloeg het liedboek op de juiste plaats open en begon plotseling te zingen, midden in een regel. Je kon hem goed horen, hij had een mooie stem wist Signe, hij had in vele koren gezongen, eigenlijk had hij zanger willen worden, dat had hij vaak verteld. Haar broer zakte ietsje onderuit in de bank, maar Signe vond dat hij zich niet hoefde te schamen. Haar vader had een donkere, zuivere stem, hij zat rechtop en hield het liedboek zo dat Signe de tekst ook kon lezen, ze probeerde mee te zingen, maar het ging zo langzaam, het deed bijna lichamelijk pijn om het gezang zo lang na het orgel te horen.

Naast de dominee boven bij het altaar stond een man in een zwart pak. Dat was een tolk. Elke keer als de dominee een gebed had uitgesproken of iets anders had gezegd, stopte hij en bleef doodstil staan terwijl de man in het zwarte pak hetzelfde in het Samisch zei. Hij had een gerimpeld gezicht en zwart, steil haar, hij was klein en mager. Misschien had de dominee hem wel in een koffer, dacht Signe, is het een pop die hij bij zich heeft en die hij bij iedere dienst uitpakt. Ze keek uit het raam, maar er was niets te zien, alleen witte sneeuw, niets dan wit, en verderop een paar bomen. Bij de evangelielezing stonden ze op. Ze gingen zitten en stonden op en gingen weer zitten.

De preek duurde dubbel zo lang omdat alles nog eens in het Samisch moest worden herhaald. Het werd een soort ritme van woorden, eerst de Noorse die ze verstond en dan al die andere geluiden.

Bij het Avondmaal waren haar moeder en vader ernstig en triest, alsof ze iets verschrikkelijks hadden gedaan dat God nauwelijks kon vergeven. Signe zou willen dat ze niet zo ernstig waren als er andere mensen bij waren, ze zou wel willen opstaan om te zeggen dat ze lief waren, dat ze deden wat ze konden. Mama is lief. Papa is lief. Horen jullie, zou ze willen zeggen. Toch zondigde je de hele tijd, je zondigde zonder erbij na te denken, dat wist ze. Ze bad elke avond om vergeving, ook voor alles waarvan ze niet wist dat ze het had gedaan, en gedacht, dan was ze tenminste zeker dat ze dat er ook bij had.

Signe keek weer naar buiten naar de sneeuw. Ze dacht aan de grote vlakte hoog in de bergen bij de plaggenhut, of daar nu ook sneeuw lag of dat het was weggewaaid. Op zulke plekken grazen de rendieren, dacht ze. De plaggenhut zelf leek net een sneeuwhoop, een heuveltje, onmogelijk te vinden voor wie niet wist waar hij was. Zelfs 's zomers was het onmogelijk om hem te zien vanaf de vlakte, want de plaggen op het dak waren aan elkaar gegroeid en er stonden een heleboel berkjes omheen, maar zij wist precies waar hij lag. En ook al waren ze moe en waren de rugzakken zwaar, toch holden ze die laatste helling af, zij en haar broer, zonder iets te zeggen renden ze het laatste stukje door het bos. Er waren paden in het bos, die voerden overal heen en een paar ervan liepen helemaal tot aan de hut. Voor de hut was een vuurplaats omringd door stenen en een eindje erachter lag een meertje. Een stukje verderop stroomde de rivier langs, dezelfde als waar ze doorheen moesten waden, maar vlak bij de hut was hij smaller, en diep.

Na de laatste psalm werd er in de gebedsruimte naast de kerk koffie geserveerd. Signe en haar broer zaten bij een paar kinderen van mensen die hun ouders kenden. Niemand zei iets, ze aten halve kadetjes met kaas en salami, er was ook chocoladetaart, en sap. Signe keek naar haar vader, hij had nog geen gelegenheid gehad om te gaan zitten, hij stond vlak naast hen met iemand te praten. Er kwamen nog meer mensen bij hem staan en ook de dominee was er. Signe zag hoe mooi en wijs haar vader was, ze hoorde zijn donkere, heldere stem, hij leek blij, ze voelde zich licht om het hart, ze keek waar haar moeder was. Die zat in een hoekje samen met een vrouw met lang, rood haar en grote oorbellen in haar oren, Signe wist dat ze een bijzondere leerkracht was voor kinderen die moeilijkheden hadden op school. Ze praatten zachtjes, ze hadden alleen oog voor elkaar, de vrouw met het rode haar was aan het woord, ze leunde naar voren naar haar moeder en praatte en verklaarde door met haar vinger op tafel te wijzen en te tekenen, ze droeg een grote ring aan die vinger. Het leek wel alsof ze boos was, haar moeder keek haar aan en knikte af en toe. Ze had een kartonnen bekertje in haar hand, vast koffie, Signe zag dat er geen bordje voor haar stond, het kwam zelden voor dat haar moeder bij dergelijke gelegenheden iets at. Toen begon zij te praten. Signe keek naar haar mond, ze praatte snel en beslist, niet zo langzaam als ze thuis deed met pauzes om na te denken, het leek alsof de woorden zo over haar lippen rolden, kant-en-klaar waren en de andere vrouw keek haar met haar ogen vanachter die grote brillenglazen aan, ze zat de hele tijd te luisteren. Er kwam een man op haar moeder af, hij had blond, krullend haar en dikke lippen. Hij glimlachte en Signe zag dat hij haar moeder ergens naar vroeg, maar die hield een hand naar hem op, opdat hij zou wachten tot ze was uitgepraat. Haar moeder fronste haar wenkbrauwen en sprak de woorden heel duidelijk uit terwijl ze bij elk woord hard met haar wijsvinger op de tafel tikte en met haar hoofd knikte. De vrouw met het lange haar luisterde aandachtig, ze bleef bij zichzelf zitten knikken terwijl haar moeder opstond om met de man te praten, het leek alsof wat haar moeder had gezegd haar aan het denken had gezet, misschien aan iets belangrijks waaraan ze niet eerder had gedacht.

Haar moeder praatte lang met de man, Signe hoorde haar

lachen. Ze zag hoe de hals van haar moeder naar achteren boog, de open mond, het donkere haar dat in een rechte lijn hing.

Lang nadat ze aan de terugrit waren begonnen, was het nog steeds koud in de auto. Signe probeerde in de kou te ontspannen, tegen zichzelf te zeggen dat het langzamerhand heus wel warmer zou worden. Het was alweer volkomen donker, het was twee uur geweest. Ze keek tussen de stoelen door naar het kamertje van licht dat door de koplampen op de weg werd gevormd. Alsof het een veilige plek vormde waar ze naartoe reden en die plek zich dan verplaatste terwijl zij er steeds weer op afreden. Haar vader zong een paar noten van een psalm. Toen begon het warm te worden, Signe voelde dat ze moe was, alsof het al avond was, ze leunde met haar hoofd achterover en deed haar ogen dicht. Ze hoorde haar moeder de naam van die andere vrouw noemen, die lerares.

'Ze is van plan te gaan verhuizen', zei haar moeder.

Signe deed haar ogen weer open, ze keek naar haar vader. Die keek voor zich op de weg. Ze wist dat die lerares twee zoons had, ze waren iets jonger dan zij en haar broer. Ze dacht dat het vreselijk moest zijn hier weg te gaan. Je had hier alles, alles wat je nodig had: de rivier, de zon 's zomers en iedereen die ze kende, de bomen en de lage heuvels en de hond natuurlijk. Signe bedacht dat ze nooit zou willen verhuizen. Haar moeder keek naar haar vader.

'Ze gaat haar doctoraal pedagogiek doen. In Oslo', zei ze. Ze zei 'Oslo' met een gewone stem.

Haar moeder had het af en toe over Oslo. Soms stond ze voor het raam van de kamer naar buiten te kijken naar de donkere weg en dan zei ze plotseling: 'Weet je, Signe.'

En Signe hief haar hoofd op van haar boek, haar spelletje, de hond en keek haar aan.

'Weet je dat het in Oslo nu', zei ze dan, met haar ene hand boven het horloge aan haar andere arm, 'nog steeds licht is.'

'O, stel je voor,' kon haar moeder zeggen, 'stel je voor, Signe, misschien hebben ze zelfs wel zon. Zon! Nu, midden in de winter!'

Dan zweeg ze en keek Signe aan, als om Signes reactie te zien, alsof ze wilde dat Signe haar gedachte, dat licht dat ze voor zich zag, zou delen.

Signe keek over de leuning van de stoel naar voren, haar moeder had zich omgedraaid en zat met haar bovenlichaam naar haar vader gekeerd.

'Wat is een doctoraal?' vroeg Signe.

Haar moeder antwoordde niet, het was alsof ze haar voorin niet hadden gehoord. Signe zag dat haar moeder haar kaken op elkaar klemde, zodat dat harde in haar wang zichtbaar werd, het bewoog daarbinnen onder de huid. Alsof het haar vaders schuld was dat die vrouw ging verhuizen. Haar sigaret was uitgegaan, haar moeder stak hem weer aan, inhaleerde diep en blies de rook uit, Signe zag de grijze wolk onder het dak heen en weer golven.

'De kinderen blijven', zei haar moeder.

Haar vader zei niets. Signe voelde hoe het koud en nat werd onder haar armen. Ze zag de jongens voor zich terwijl ze bij de sneeuwwal langs de weg stonden en hun moeder met de bus zagen wegrijden. Signe keek naar haar broer. Hoewel het donker was in de auto, las hij een dik boek over programmering, Commodore 64. Ze keek uit het raam. De bomen zagen er armoedig uit, alsof iemand ze gewoon los in de sneeuw had gezet. De markeringsstokken waren bovenaan met een grijze, reflecterende verf bestreken. Ze kwamen langs de afslag naar Masjok, 's zomers kon je de hele weg volgen naar de top van de berg waar de radiomast stond. Ze stelde zich voor dat ze daarbovenop stond, dat ze van daarboven het hele dorp zag, het hele dal, en de rivier, als een wit, eindeloos lint.

S igne stond in de gang te wachten tot Inga klaar was en zou komen. Ze vond het prettig om vroeg te zijn voor de bioscoop, maar Inga had zo veel tijd nodig. Inga's moeder liep langs, ze glimlachte naar Signe en zei: 'Hoi.'

Ze was een beetje mollig. Ze had stug bruin haar, net als Inga.

'Dus jullie gaan naar de bioscoop', zei ze en ze glimlachte weer.

Onder de spiegel bij de telefoon lagen verscheidene haarborstels.

'Hebt u misschien zin om mee te gaan?' vroeg Signe.

Inga's moeder begon te lachen. 'Dat is nog eens een voorstel.'

Signe bedacht dat ze dat niet had moeten zeggen, misschien was het wel brutaal.

'Tja, het is lang geleden dat ik in de bioscoop ben geweest, maar we gaan een stukje rijden.'

Inga's vader liep langs, zijn haar stond alle kanten op, alsof hij zojuist enorm boos was geweest. Signe hoorde dat de radio in de kamer aanstond.

'Hallo', zei hij tegen Signe. 'Bent u daar, jongedame?'

Hij ging een andere kamer binnen. 'Hé, vrouw,' riep hij, 'je moet me helpen kleren te pakken.'

Signe schrok. De moeder van Inga glimlachte en liep achter hem aan. Stel je voor, je echtgenote met vrouw aanspreken, dacht Signe. Dat zou haar vader nooit doen. We worden wat we zeggen, zei hij altijd. Je moet niet zeggen dat je dom bent, want dan word je het. Je moet met respect over jezelf praten. Jij bent verstandig, Signe. Je moet tegen jezelf zeggen dat je verstandig bent. Jullie hebben vele talenten, je broer en jij, denk eraan, God heeft jullie geschapen, hij heeft jullie sterk en levend geschapen. Je talenten mag je niet begraven, zei haar vader altijd. Jij en je broer, jullie zijn de besten. Niet goed, niet de op een na besten. Jullie zijn de besten. Wat jullie in dit leven gaan doen, zal geweldig zijn. Grandioos. Jullie zullen belangrijke dingen volbrengen, Signe. Denk daaraan.

Signe was blij dat hij dergelijke dingen zei. Want het was waar dat het verschil maakte anders te praten, anders te denken. En als haar vader op die manier met haar sprak, leek hij volkomen overtuigd, de woorden kregen glans in die sterke stem. Wat hij zei was waar.

Ze deed een stap naar voren en bekeek zichzelf in de spiegel. Er lag een lippenstift op het kastje en ze zou graag de dop eraf halen om de kleur te zien, ze zou hem graag proberen, naar de bioscoop gaan met lippenstift, met volle, zachte, rode lippen. Ze dacht aan de neef van Inga, dat hij haar thuis bracht.

'Dus hier sta je te dromen', zei Inga.

Signe had haar niet horen aankomen, ze stond vlak naast haar, ze keken elkaar in de spiegel in de ogen, toen keken ze naar zichzelf en begonnen te lachen zonder te weten waarom. Ze konden niet meer ophouden, ze vielen op de grond en het deed pijn in hun buik en het was onmogelijk om te stoppen want hun mond wilde niet meer ernstig worden. Daarna bleven ze elkaar doodstil op de grond aan liggen kijken tot ze weer een beetje moesten lachen.

'Als jullie de film willen halen, moeten jullie nu weg', riep Inga's moeder.

Ze stonden op en bleven weer voor de spiegel staan, ze glimlachten, ze konden niet meer ophouden te glimlachen.

'Kunnen we geen lippenstift opdoen?' vroeg Signe plotseling en ze wees naar dat kleine, glimmende hulsje.

'Doe maar', zei Inga.

Signe haalde het dopje eraf en draaide de lippenstift eruit, hij was donkerrood, het was de kleur die Inga's moeder gebruikte. Ze deed een dun laagje op en wreef haar lippen langs elkaar. Net op dat moment kwam Inga's moeder terug. Signe bleef met haar lippen op elkaar geperst staan. Stel je voor dat Inga's moeder zou denken dat ze de lippenstift gewoon had gepakt terwijl ze daar alleen had staan wachten, zomaar, zonder te vragen.

'Veel plezier', zei Inga's moeder glimlachend en Signe antwoordde met haar lippen op elkaar: 'Tot ziens.' Toen ze de deur uit waren, begonnen ze weer te lachen.

Inga en Signe liepen over het smalle pad door de sneeuw tussen twee huizen door. Ze hadden dezelfde laarzen, in Nourgam gekocht, een soort Samen-laarzen van licht leer ingesmeerd met vet. Hun broekspijpen hadden ze erin gestopt.

'Waar gaan je ouders heen?' vroeg Signe.

'Gewoon een stukje rijden.'

'Ja, maar waarheen?'

'Geen idee. Nergens bepaalds heen, kan zijn dat ze bij iemand langsgaan, maar woensdag gaan we misschien de tunnel proberen.'

Ze zei dat haar neef daar op de dag van de opening was geweest, hij was zomaar onder de zee door gereden, was niet eens bang geweest. Signe dacht aan de neef van Inga. Ze kwamen weer op de weg uit en liepen de helling naar de winkel af, daar kwamen net een paar anderen aan, kleine, donkere lichamen in de sneeuw, die bij het gemeentehuis en de winkel door lantaarns vlekkerig werd verlicht.

De vader van iemand uit hun klas, hij was degene die de bioscoop exploiteerde, zat met een rood geldkistje aan een tafeltje bij de ingang. Signe had geld van haar moeder gekregen. Ze betaalde voor haar kaartje en liep achter Inga de deur naar de grote zaal door. Een brede trap voerde aan beide zijden naar beneden naar het podium. Alle stoelen waren klaargezet en het leek net een echte bioscoopzaal waar je van beneden naar boven achter elkaar zat, er klonk muziek uit de luidsprekers en Signe voelde zich plotseling zo blij, ze glimlachte bij zichzelf, het was alsof de muziek beloofde dat er iets fijns zou gebeuren, alsof die zei dat het vast en zeker zou komen. Ze keek van bovenaf rond. Het was een grote zaal die hen met open armen ontving. Ja!

Ze keek naar iedereen die ze kende en die daar beneden op verschillende plaatsen zaten, er waren wel meer dan veertig mensen. Als er een feest was, werden de rijen stoelen tegen de muur achter de schuifdeuren geschoven en dan kwam er een enorme ruimte vrij en werden er kleine tafeltjes neergezet en dansten de mensen. Dat had Inga verteld, want die was een keer vroeg op een avond met haar moeder naar binnen gegaan om te kijken. Op het toneel speelden bands, Åge Aleksandersen was er een keer geweest en een andere keer Claudia Scott. Toen waren Signe en Inga 's zondags naar de cafetaria bij het motel gegaan, want daar overnachtte Claudia Scott, en ze hadden haar met haar koffer uit een van de kamers zien komen, haar lange haar wapperde in de wind, het was in de zomer en ze droeg een bruin leren jasje met franje. Vlak voor het raam waaraan zij zaten, stapte ze in een bus, misschien maar drie meter van hen vandaan, ze zagen haar wegrijden.

'Signe', hoorde ze iemand roepen.

Het was Henning. Ze zwaaide naar hem en begon zijn kant op te lopen, Inga ging mee. Ze ging naast Henning zitten, aan de andere kant naast hem zat een vriend – ze waren familie van elkaar meende ze, de vriend was jonger dan zij – en Inga ging aan de andere kant naast haar zitten.

'Blijven jullie ook voor de film hierna?' vroeg Henning, hij nam een slok uit een flesje cola.

'Nee', zei Signe.

'Maar dat is juist een goeie, goddorie! De film die nu komt is alleen maar om je stoel te verwarmen.'

Ze keken naar het blauwe gordijn. Toen ging de muziek uit en werd het gordijn opzijgeschoven, de film begon meteen, het duurde even voor het beeld scherp werd en iemand op de achterste rij moest naar de projectiecabine om de man te vragen het geluid iets harder te zetten.

Inga zag eruit als altijd: alsof ze zich een beetje verveelde of een beetje moe was. Signe keek voor zich uit naar het doek. Ze dacht eraan dat ze naast Henning zat en alles zag wat er gebeurde, dat ze het tegelijkertijd zagen, samen. Alsof alles in de film dubbel aanwezig was, een gedeelte ging direct naar hem toe en een gedeelte direct naar haar en in hen kwam het weer bij elkaar. Plotseling had ze het gevoel dat ze van Henning hield, meer dan van al het andere, bijna nog meer dan van God, dacht ze.

Signe schrok toen het witte licht recht op het doek scheen, de band moest worden verwisseld. Dat vergat ze elke keer weer.

'Verdomde amateurbioscoop,' zei Henning, 'in de stad lukt het ze toch ook om de film in zijn geheel te laten zien en als die idioten daar dat kunnen dan kan dat toch niet zo moeilijk zijn.'

Hij keek langs de rijen stoelen.

'Hé!' riep hij luid naar een van de meisjes uit zijn klas, ze draaide zich om en hij floot naar haar.

'Wacht maar tot we buitenkomen,' riep hij haar toe, 'dan zal ik je laten voelen dat de sneeuw warmer is geworden.'

Toen ging het licht uit, de film begon weer. Signe begreep niet waarom hij geintjes maakte met dat meisje, ze was én lelijk én dom. Ze woonde op een boerderij een stukje verderop in het dal. Haar vader was een van die mannen die Signes vader altijd Samen-opperhoofden noemde. Die wilden niet dat anderen in de rivier visten of bergframbozen plukten.

'Alles is voor de Samen,' zei haar vader, 'en mensen als wij, begrijp je, Signe, wij uit het zuiden, wij zijn niets waard. Ze willen het voor het zeggen houden, Signe, ze houden elkaar de hand boven het hoofd, die Samen.'

Maar als haar vader het over de man had van wie hij de plaggenhut had overgenomen, zei hij altijd vriendelijke dingen. Hij moest al tamelijk oud zijn. 'De oudere Samen zijn wijzer,' zei haar vader, 'dat zijn niet van die communisten.'

Haar vader was met hem wezen praten en had de hond meegenomen. Dat was al een paar jaar geleden. Signe herinnerde zich hoe hij thuis was gekomen, een kaart over de eettafel had uitgespreid en op de kleine zwarte driehoek had gewezen die de plaggenhut voorstelde, dat lichtgroene vlak eromheen is bos, had hij gezegd en toen was zijn vinger het stroompje gevolgd, die blauwe lijn die de rivier voorstelde waar ze doorheen moesten waden, helemaal vanaf het punt waar hij in de grote rivier stroomde tot in de bergen, was de lijn langs de plaggenhut en verder de hoogvlakte op gevolgd, waar hij zich vertakte en overal naar binnen kronkelde.

'Dit wordt onze geheime plek', zei haar vader en hij zette zijn vinger op de hut.

'Als er oorlog komt en de Russen komen', zei hij en hij glimlachte naar Signe.

'Daar kan niemand ons vinden.'

Haar vader had verteld dat de Russen na de oorlog niet van plan waren geweest zich van het schiereiland Varanger terug te trekken. Er bestonden documenten, had hij gezegd, waaruit bleek dat alles aan de kant van de rivier waar de school lag helemaal tot Vardø eigenlijk in de Sovjetunie zou komen te liggen.

De film was afgelopen, Inga en Signe gingen naar buiten. Henning zou wel binnenblijven, het duurde maar een kwartier voor de volgende zou beginnen. Voor het dorpshuis stond het meisje dat geen moeder meer had samen met een man van bijna dertig. Ze stond te roken en wendde haar hoofd af om de man de rook niet in het gezicht te blazen. Signe liep samen met Inga langs hen heen, het meisje keek Signe recht aan en blies nog meer rook uit, ze keken naar elkaar, het was net alsof je over een smalle rand langs een afgrond liep. Toen keek het meisje weer naar de man, hij zei iets tegen haar met een zachte, donkere stem en Signe hoorde haar lachen. Signe dacht er plotseling aan dat het meisje kerst zou vieren zonder haar moeder, misschien alleen samen met haar vader en stel je voor als die niet thuis was, hoe zou ze het dan hebben? Signe dacht aan de aardewerken schaal die ze op school had gemaakt, het had haar veel tijd gekost om hem te vormen, maar nu was hij gebakken en had een blauwe glazuur gekregen, het donkerste, warmste blauw dat er bestond. Die schaal zou haar moeder krijgen, Signe stelde zich voor hoe haar moeder hem zou uitpakken, haar gezicht, hoe ze zou glimlachen, ze zou er zo blij mee zijn.

'En, hoe vond je hem?' vroeg Inga.

'Wat?' zei Signe. 'O, ja, de film.'

Inga zei het op zo'n manier dat Signe wist dat ze het alleen maar zei om een grapje te maken, opdat ze zouden doen alsof ze er serieus over praatten. Ze namen de kortere weg naar beneden, langs de helling bij de winkel.

Ze probeerde over de film na te denken, hij ging over een meisje dat in een fabriek werkte en danste en uiteindelijk kreeg ze een vriend en danste ze op het toneel.

'Oké, vond ik', zei Signe.

'Ja, dat vond ik eigenlijk ook', zei Inga.

Ze zwegen. Signe dacht aan Henning, toen de film was afgelopen was hij opgestaan en daarna had ze hem niet meer gezien. Inga gaapte. De lucht was koud, Signe huiverde in haar gewatteerde jack en sloeg haar armen dicht om zich heen.

'Tot ziens', zei Inga toen ze op het punt kwamen waar de weg naar haar huis afboog. Ze keken elkaar aan en glimlachten flauwtjes met hun lippen, Signe hief haar want op en bewoog even haar hand en Inga zwaaide terug als een pinguïn.

Signe bleef de weg volgen, langs de inrichting die daar in de sneeuw als een reusachtige lantaarn lag te schijnen, of als een vliegende schotel, ze zag daarbinnen kleine mensen bewegen. Als ze weg was, bij Inga of gewoon ergens buitenshuis, dan was het alsof ze thuis vergat, alles, dan voelde ze het niet in haar lichaam en dacht ze er niet aan, maar elke keer als ze de inrichting zag dacht ze aan haar vader, en dan aan haar moeder, aan de stilte, en daarna de voetstappen over de vloer, de stemmen, de geluiden, dan kwam het terug, maar het was helemaal weg geweest.

Ze bedacht dat het de dag daarop maandag zou zijn en dat de post dan kwam, misschien was er wel een brief voor haar bij, ze had vijf correspondentievrienden en -vriendinnen en zij had als laatste aan allemaal geschreven dus nu waren zij aan de beurt. Ze had er nog een gehad, in Ringebu, ze wist niet waar dat was, maar nadat ze een foto van zichzelf had gestuurd, het was geen mooie geweest maar de enige die ze had, had hij niet meer teruggeschreven.

Ze kwam bij de laatste helling voor de bocht, hij lag er donker bij zonder huizen, maar er viel wat licht vanuit de hemel, ze keek naar boven, het was het noorderlicht, een lange, witte pluim, net rook. Ze voelde zich warm worden vanbinnen, door het noorderlicht, omdat het zo mooi was. Dank U, God, dacht ze, voor al het mooie dat U mij schenkt. Ze voelde dat ze van alle bomen hield en van de bocht in de weg, van de sneeuw en de heuvels. Stel je voor dat het zo mooi kan zijn op een zondagavond. Toen schoot haar te binnen dat het de laatste adventszondag was, het was geen gewone zondag, het was bijna Kerstmis. Elke keer als ze aan kerst dacht, golfde er een warm gevoel door haar heen, borrelde bruisend in haar op. Nu ben je zo vol blijdschap, Signe, dacht ze, dat het eindeloos zal duren. Ze zag zichzelf als een glimlachende persoon bij wie anderen graag in de buurt waren, ze wilde warm en lief zijn, iemand die zachtjes praatte en wijs was, iemand naar wie de mensen toe kwamen gewoon omdat ze zo was, omdat ze voelden dat ze een goed mens was.

Ze zag de koplampen van een auto die achter haar de heuvel op reed. Ze stelde zich voor dat het licht niet van de auto was, maar van haar, dat haar licht zo straalde. Toen de wagen naast haar was, minderde hij vaart. Ze keek ernaar, ze was niet bang, niet nu, ze glimlachte naar de auto. Het was Inga's neef. Hij had het raampje naar beneden gedraaid. 'Zo, de jongedame is op stap', zei hij. 'Stap in, dan breng ik je.'

Ze hoefde alleen de laatste bocht nog om en een stukje langs de weg, dan was ze thuis, misschien nog tweehonderd meter.

'Het is niet bepaald ver meer', zei Signe lachend door het open raampje.

Hij glimlachte alleen maar. Ze dacht dat het werkelijk was alsof hij blij werd toen hij haar zag glimlachen. Daar had haar vader het vaak over, dat we er verantwoordelijk voor zijn hoe de mensen zich ten opzichte van ons gedragen, we beïnvloeden hen en werken door op het antwoord dat we krijgen. Signe liep om de auto heen en stapte in. De stoel was zacht en het was warm, het rook een beetje naar sigaretten.

'Moet je meteen naar huis of heb je nog tijd voor een rondje?' vroeg hij.

Haar bril besloeg, ze zette hem af, keek naar hem, hij was een beetje wazig, zijn gezicht leek weker zo.

'Een heel klein rondje dan', zei Signe.

Misschien vond hij haar wel mooier zonder bril, met alleen dat haar langs haar gezicht.

'Zoals u wenst.'

Hij gaf gas en liet de auto glijdend op de sneeuw keren, de achterkant raakte een sneeuwwal bij de oprit van het dichtstbijzijnde huis, maar ze bleven niet vastzitten en hij reed snel en veilig de heuvel weer af, sloeg links af naar de melkfabriek en bij de Co-operatie en NorMaskin rechts af tot ze bij de rijksweg uitkwamen.

Ze zeiden niets. Signe begon de warmte te voelen, ze trok haar wanten uit, zette haar muts af en deed de rits van haar jas los, maar niet helemaal. Hij draaide het bandje om dat hij op had staan. Het was hetzelfde als wat hij de dag ervoor had gedraaid, dat met *the river*.

Ze reden langs de rivier, reden de brug over en de lange, bochtige weg tegen de helling aan de andere kant op. Hij zwenkte naar de kant en bleef op een parkeerplaats staan die sneeuwvrij was gemaakt en waar 's zomers altijd trailers stonden, of Duitse campers, of gewoon toeristen die uit hun auto's stapten om een foto te maken van het uitzicht daarboven.

Ze zeiden niets. Hij deed het licht uit en ze bleven doodstil naar het noorderlicht zitten kijken dat als sterk maanlicht boven de rivier hing, ze konden de rivier en de weg erlangs tot ver in Finland volgen.

Dit is de mooiste avond van mijn leven. Zonder dat ik daar van tevoren ook maar iets van af wist. Het wordt vast de fijnste kerst ook, dacht Signe. Ze voelde zich tot diep in haar buik zo gelukkig dat ze bijna begon te huilen. Ze keek naar hem. Hij keek naar haar, hij had grote, donkere ogen. Hij is niet echt mooi, dacht ze, maar hij is vriendelijk en sympathiek, ze voelde dat ze ook van hem hield, een grote, warme liefde. Er kwam hen een auto tegemoet, ze zagen hem al van verre, hij reed over de grote hoogvlakte en kwam vanaf de andere kant de heuvel op. Hij draaide hetzelfde nummer nog eens. *I come from down in the valley. She was just seventeen*, hoorde Signe. En ik ben nog maar dertien, dacht ze. Maar dan word ik veertien, en dan vijftien en zestien. Dat duurt niet lang meer.

'Volgende keer als hij naar Noorwegen komt ga ik erheen. Al moet ik het hele stuk zelf rijden.'

'Waarheen?'

'Naar Oslo. Hij speelt vast in een of andere enorme zaal met plaats voor duizenden mensen.'

Signe bedacht dat ze mee zou gaan. Samen zouden ze met de auto door het hele land naar het zuiden rijden, bij benzinestations stoppen om chips en ijs te kopen, de zon, de warmte, de zomer tegemoet rijden. Hij keek haar aan, ze hoorde de verwarming zoemen tot het volgende nummer begon, het was alsof hij met zijn ogen vroeg of ze meekwam, dacht Signe en ze knikte heel flauwtjes ten antwoord. Zo zaten ze elkaar alleen maar aan te kijken, zonder iets te zeggen.

'Je zult wel naar huis moeten', zei hij ten slotte.

'Ja,' zei Signe, 'dat is wel het beste.'

Ze keek op haar horloge. Ze was veel langer weggebleven dan ze dacht. Hij startte en draaide de weg op, ze reden over de bochtige weg naar beneden naar de brug. Hij reed nu veel langzamer, soepeler, dacht Signe. Bij de bocht voor de brug schakelde hij. Voor hij zijn hand weer op het stuur legde, streelde hij haar voorzichtig over de mouw van haar jas terwijl hij recht voor zich uit keek.

Toen ze naar huis liep bedacht ze dat ze hem had moeten vragen een stukje eerder langs de weg te stoppen, zodat ze het laatste stukje had kunnen lopen, maar dan had hij gevraagd waarom en dat had ze niet willen vertellen.

Toen ze de deur van het halletje opendeed, kwam de hond haar kwispelend tegemoet, ze zag dat het grijs van de rook was in de kamer. Ze zag haar vader boven midden in de kamer staan, naar de bank gekeerd, waar haar moeder waarschijnlijk op zat, hij had het bruine kopje in zijn hand.

'Hoi', zei ze en ze deed de deur voorzichtig achter zich dicht, zodat het glas niet zou rinkelen. Het ritje met de auto, de ogen van Inga's neef en die hand op haar arm waren net warme vlekken die ze mee naar binnen nam, ze glimlachte naar haar vader en ging op haar hurken zitten om de hond te aaien. Hij keek op haar neer. Lang bleef hij naar haar staan kijken zonder iets te zeggen, zijn ogen waren net kleine kogels.

'Je bent met de auto gekomen', zei hij ten slotte.

'Ja', zei Signe. 'Inga's neef heeft me thuisgebracht.'

Ze zei het met een heel gewone stem, ze hield stand onder haar vaders blik en ze ademde daar beneden, waar het minder rokerig was, diep in en liep toen met de hond achter zich aan de lage trap naar de kamer op.

Haar vader zei niets. Haar moeder zat voorovergebogen op de bank. Nu ben ik er weer om op je te passen, dacht Signe. Of misschien kwam het door haar werk, dacht Signe, dat hoopte ze maar. Ze vond het moedig van haar moeder om zo'n zware baan te hebben.

'Hoi', zei ze.

Haar moeder glimlachte flauwtjes en zei ook hoi, het was alsof ze met die glimlach wilde laten zien hoe het met haar ging, dat ze moe was, en verdrietig.

'Signe', zei haar vader.

Ze keek hem weer aan. Hij haalde zwaar adem en perste toen de lucht weer naar buiten.

'Je hebt de keus, Signe', zei hij. 'Je moet kiezen wie je wilt zijn. Je wordt dat waar je je energie in steekt.'

Ze begreep dat hij dat met de auto bedoelde, dat ze was meegereden.

'Maar papa,' zei ze, 'dat was toch alleen maar een ritje.'

Hij keek haar aan zonder iets te zeggen, hij trok zijn ene wenkbrauw op en schudde langzaam zijn hoofd, alsof hij haar iets wilde vragen en tegelijkertijd antwoord wilde geven.

'Wil je iemand worden die ritjes maakt?' vroeg hij.

Ze antwoordde niet. Ze voelde dat ze het koud had, hoewel het hierbinnen warm was, ze voelde de hond tegen haar bovenbeen, die ging op haar voeten liggen.

'Wil je dat?'

Hij deed een stap in haar richting, stond vlak voor haar, hij was zo groot, zijn stem klonk donkerder, hij sprak zacht en indringend.

'Kijk me aan, Signe', zei hij. 'Kijk me aan.'

Maar ze keek hem toch de hele tijd aan?

'Is dat wat je wilt? Hè?'

Zijn adem rook scherp. Ze dacht aan het gezoem van de verwarming in de auto, aan het noorderlicht, dacht eraan hoe stil het was geweest, aan zijn ogen, en toen aan het lied, alsof het hun lied was. Ze wist wat haar vader bedoelde, maar wat hij bedoelde was iets anders, wat ze hadden gedaan was niet zoiets. Ze hadden immers niets gedaan, dacht ze, ze hadden daar alleen maar gezeten. Maar misschien had hij gelijk, dat van het een het ander kwam, dat het in elkaar overvloeide en dat het ermee begon dat je alleen maar in een auto stapte. Hij is niet zo, wilde ze zeggen, de neef van Inga is niet zo, maar ze zei niets. Er viel niets te zeggen. Ze probeerde zich de vreugde te herinneren, maar die was weg, ze zag zichzelf bij de kiosk in en uit auto's stappen, hoorde portieren die dicht werden geslagen, voelde hoe de kou onder haar trui kroop.

'Jij alleen bent verantwoordelijk voor jezelf, Signe', zei haar vader. Hij nam een slok uit zijn kopje.

Ze keek naar haar moeder. Het donkerbruine haar dat in de nek volkomen recht was geknipt, de pony als een streep boven haar ogen, ze zat met haar schouders opgetrokken alsof ze het koud had, zij ook. Haar moeder keek naar haar hand, die de as in een tinnen schaaltje tipte, ze rolde de sigaret langs de rand terwijl ze ernaar keek, van de ene kant naar de andere, rond en rond zodat haar dunne armband heen en weer bengelde. Haar moeder zei niets. Op het rode velours van de bank zat as, kleine, grijze plekjes. Ze moest daar al een hele tijd hebben gezeten.

'Ja, papa', zei Signe. 'Ik zal het niet meer doen.'

Ze werd plotseling zo verdrietig dat ze bijna begon te huilen. Ze wilde niet dat ze zouden geloven dat zij zo iemand was. Ze was Signe, ze wilde dat ze zouden weten dat ze Signe was, dat ze lief was, netjes, dat ze het meisje was dat ze kenden en waar ze zo oneindig veel van hielden. Maar het was net alsof het te laat was, ze keek naar haar vader en voelde dat de tranen haar over de wangen begonnen te stromen. Ze keek hem in de ogen, maar die veranderden niet.

Signe zat in bed met zachte, lila wol en dikke pennen te breien. Ze zou eigenlijk moeten gaan slapen, maar ze dacht de hele tijd dat ze nog één pen zou doen. Op haar broers kamer hoorde ze het geratel van het toetsenbord. Boven zich hoorde ze de voetstappen van haar vader, het geluid als hij op de leren stoel ging zitten, pff, en toen hun stemmen, die hoge, schelle van haar moeder en dat zware gebrom van haar vader. Ze probeerde zich voor te stellen dat ze het geluid van de verwarming in de auto hoorde en ze dacht aan het uitzicht dat ze gezien hadden vanaf het punt waar ze hadden gezeten: de heuveltoppen langs de rivier, de donkere sleuven van zwarte bomen en daarboven niets dan sneeuw, vlak, de heuvels leken net donkere schaduwen in het flauwe noorderlicht.

'Je mag niet fluiten,' zei Inga altijd, 'niet roepen, geen lawaai maken. Anders komt het noorderlicht je pakken. Of je verdwijnt, of je verandert in ijs.'

Signe wist niet wat erger was. Als je verdween, dan ging je ergens anders heen. Ze vroeg zich af waarnaartoe. Misschien zou het noorderlicht haar optillen en naar de plaggenhut dragen. Als ze in de sneeuw alleen bij de hut aan zou komen, zou ze met haar handen de deur vrij moeten graven. Ze wist dat er binnen voldoende hout was, daar zorgde haar vader altijd voor. Ze zou kunnen leren strikken uit te zetten en ze zou op het ijs kunnen vissen, de ijsboor en de visuitrusting lagen onder de brits bij het raam, ze zou zich best weten te redden.

Ze hoorde de stem van haar moeder, hij klonk luider, ze riep: 'Nee', en toen zei ze nog iets, zachter nu, en toen hoorde Signe: 'Verdomme. Sodemieter op', die luide, schelle stem van haar moeder. Tussendoor klonk het zware gebrom van haar vader. Ze hoorde haar moeder naar de trap lopen, haar vader op een holletje achter haar aan, als hij haar maar niet vasthield en door elkaar zou schudden of begon te slaan, dacht Signe, ze hoorde zijn voetstappen, hij bleef boven staan.

Nee, dat kwam pas als het nacht werd, dacht ze, als haar broer sliep. Dan klonk er klassieke muziek in de kamer en die werd steeds luider, luider en luider, alsof hij steeg, steeg tot aan een rand en er dan overheen liep en alles vulde. Signe had het al vaak gehoord, ze kon dan niet slapen, lag te luisteren, of werd wakker, en altijd hoorde ze dezelfde geluiden, korte kletsen en meppen en een doffe val de trap af, geschop en handen, zijn handen die haar moeder vasthielden, ze had zijn handen om haar hals gezien en de plekken, die donkere plekken in de hals van haar moeder de dagen daarna.

Haar moeder ging de trap af en de waskelder in. Signe hoorde de stem van haar vader, maar kon niet verstaan wat hij zei, daarna hoorde ze zijn voetstappen terug naar de stoel. Ze dacht aan de handarbeidlessen voor kerst. Morgen hadden ze nog gewoon les, dan twee dagen handarbeid en donderdag was de afsluiting. Ze verheugde zich op alles. Geen repetities meer, alleen maar op school zijn, één dag nog met gewone les en dan alleen maar dingen maken. Maar er komt beslist iets tussen, dacht ze, ik word ziek, het wordt afgezegd, ik kan niet. Nee, het moet goed gaan, het moet, het moet, dacht ze. Nog maar één dag. Zoveel kan er in die tijd toch niet gebeuren. Ze deed haar ogen dicht, hield op met breien. Lieve God. Vergeef me mijn zonden, zowel in werkelijkheid als in gedachten. Zegen ons, God, ons hele gezin. Mama, papa en mijn broer. En de hond. Lieve Vader, laat alles goed gaan de laatste dagen voor kerst, zegen de handarbeidlessen, lieve Heer, laat het doorgaan.

De bel ging. Signe schrok. Ze keek op de klok, het was even over tien en gewoonlijk belde er nooit iemand aan. Signe liep de gang in naar de trap, haar vader kwam uit de woonkamer naar beneden en deed open, ze zag zijn rug in de deuropening, hij sprak zachtjes met iemand daarbuiten, er stroomde koude lucht naar binnen. Toen kwam er een man de gang in, ze wist niet wie het was, hij had een muts op en zijn wangen waren rood, hij moest zijn komen lopen, ze had geen auto gehoord. Ze dacht eraan dat er zomaar iemand naar hen toe kon komen lopen, iemand die ze niet kende, ze konden helemaal bij het huis komen zonder dat iemand het merkte, konden zo de deur opendoen, die niet op slot was.

Ze zag dat hij haar vader een hand gaf, zijn naam zei. Hij kwam ook uit het zuiden, van de zuidkust misschien, hij sprak dialect. Hij deed zijn muts af, hij had een grote bos rood haar, keek over de schouder van haar vader naar Signe, die beneden in de gang bij de trap stond, ze voelde de warmte van de houtkachel tegen haar bovenbeen. Hij glimlachte naar haar en zei: 'Hoi.'

Signe keek naar hem op, ze glimlachte terug en zei ook: 'Hoi.' Haar moeder kwam de waskelder uit, die aan de kleine overloop naast de hal lag. Signe zag hoe ze plotseling begon te glimlachen, haar gezicht kreeg iets zachts, ze zei: 'Hoi.'

De man en haar moeder keken elkaar glimlachend aan, haar moeder hield haar hoofd een beetje schuin.

'Dit is onze nieuwe chef van de Sociale Dienst', zei ze tegen haar vader terwijl ze naar de man keek.

'Maar kom toch binnen', zei ze.

Ook haar vader glimlachte, maar hij had dat donkere in zijn ogen. De man hing zijn jas op. Hij had een groen overhemd en een bruin vest aan, op zijn vest had hij dezelfde speldjes als de invallers op school die uit het zuiden kwamen, Signe wist dat er iets tegen de stuwdam in Alta op stond en iets tegen de wapen-wedloop.

'Lekker warm is het hier', zei hij.

'Ja, we stoken goed,' zei haar vader, 'dat mag ook wel, toch?'

Haar vader bleef staan zonder iets te zeggen. Signe wist dat hij aan die speldjes dacht, dacht dat de man een communist was. Ze zag dat de man naar het bloemetjesbehang keek en naar het bruine kastje onder de spiegel en naar de trap naar boven naar de kamer en naar beneden naar de slaapkamers, haar vader had hem groen geschilderd, ook al was haar moeder het daar niet mee eens geweest.

Ze gingen naar boven, naar de kamer, haar moeder voorop.

'Je lust vast wel een kopje koffie', hoorde Signe haar zeggen.

De man zei dat hij liever thee had. Haar moeder lachte en zei dat hij eraan moest wennen om koffie te drinken als hij hier een toekomst wilde hebben.

'Ze weten hier niet wat thee is', zei ze.

Signe bleef bij de trap staan luisteren. Ze hoorde haar moeder de keuken in gaan, hoorde haar iets naar de kamer roepen.

'Ze zetten een kop neer en schenken hem vol, voordat je bent gaan zitten.'

Signe hoorde voetstappen, de man liep waarschijnlijk rond te kijken. Ze hoorde de stem van haar moeder weer.

'Bevalt je appartement je?'

'Ja', antwoordde hij.

Hij vertelde dat hij een kerstboom had, Signe hoorde dat hij naar de keuken liep, ze zag voor zich hoe hij in de deuropening stond en naar haar moeder keek terwijl zij kopjes en lepeltjes en suiker en de theezakjes van haar vader pakte. Hij zei dat de boom midden in de kamer stond, hij was het bos in gegaan en had een kleine berk omgehakt, die binnen neergezet en hem vol zilverpapier gehangen.

'Ik dacht dat ze de kerstboom hier zo optuigden,' zei hij, 'en dat ze lokale bomen gebruikten, maar toen ik op het werk kwam hadden ze een spar met ballen en slingers versierd, ze zeiden dat ze hem in Finland hadden gekocht.'

Signe hoorde hem lachen. Haar moeder zei dat het een merkwaardige plek was, bijna alsof je in het buitenland was.

'Ze weten niet eens wat *lomper* zijn', zei haar moeder. 'Je kunt hier nergens een worst in zo'n koud pannenkoekje krijgen, ik heb vorig jaar met zeventien mei de winkel gevraagd om twee pakjes voor me te bestellen, ze waren diepgevroren, maar dat hinderde niet, ik moest er gewoon niet aan denken nog een nationale feestdag zonder worst met *lomper* te vieren.'

Signe hoorde aan haar stem dat ze glimlachte.

'En ze hebben altijd alleen maar gegrilde worst, nooit Weense. En dat is toch pas echte worst, nietwaar?'

Signe vroeg zich af waarvoor hij was gekomen. Misschien

moesten ze die moeilijke zaak bespreken. Ze vroeg zich af wat haar vader deed, hij had niets gezegd, ze zag hem nergens. Ze bedacht dat ze naar boven kon gaan om een glas jus te halen.

'Ik heb in de kiosk een broodje met een soort rendiervlees gekocht', zei de man. 'Dat was ontzettend lekker,' zei hij, 'het is toch belangrijk dat de mensen het oorspronkelijke in ere houden, de unieke voordelen die een bepaalde plek biedt.'

'Jaag jij?' vroeg haar vader.

Signe hoorde dat hij zijn keel schraapte. Ze hoorde dat hij door de kamer liep, ook naar de keuken, misschien bracht hij het bruine kopje met die heldere vloeistof erin weg.

'Nee,' zei de man, 'ik heb geen wapen. Maar ik ben een vervent sportvisser, ik vis met een werphengel, dat doe ik al sinds ik een kleine jongen was.'

Signe hoorde de hond door de kamer naar de keuken lopen, ze zag voor zich hoe haar vader op zijn hurken ging zitten en haar aaide, ze hoorde de hondenstaart tegen de muur slaan.

'O,' zei haar vader, 'dan zal het je hier best bevallen.'

Signe hoorde dat haar vader zijn best deed om gezellig te doen, maar ze hoorde dat scherpe in zijn stem, onder die gezellige vernis was hij kwaad. Ze hoorde hem boven haar naar de trap lopen, ze ging naar haar kamer, zodat hij haar niet zou zien. Ze hoorde hem verder de trap af en de kelder in komen, hij deed de kachel open en legde er nog een houtblok in, toen hij het deurtje weer dichtdeed klonk er een schrapend geluid. Signe wist wat hij dacht: *een werphengel.* Aansteller. Die zou zich geen dag samen met papa in de bergen redden, dacht ze. Hij weet niet wat muggen zijn, hij weet niet wat het wil zeggen om in juli acht uur lang met een zware rugzak om en met blaren te lopen, wanneer het mistig is of begint te sneeuwen. Zuiderling, dacht ze. Wat een watje. Hij heeft geen idee hoe het is.

Ze hoorde haar vader de trap naar de hal op gaan, hij ging naar buiten, de hond kwam achter hem aan, maar haar vader was te snel en ze bleef staan piepen en aan de deur staan krabben.

Signe liep weer naar de trap, bleef met een hand op de leuning staan. Ze hoorde de stem van de man, hij sprak zacht, alsof hij de woorden eerst zijn buik in duwde voordat ze naar buiten kwamen, maar ze kon niet horen wat hij zei. Ook haar moeder sprak zacht, kalm. Signe liep stilletjes de trap op, ze liep over het kleed in de kamer naar de keuken. Toen ze binnenkwam zwegen ze. De man stond achter de keukendeur tegen de muur geleund, hij had zijn hoofd achterover gebogen en keek met een scheef glimlachje naar haar moeder. Die stond bij de tafel, ze hield de witte theepot in haar handen, alsof ze hem wilde verwarmen, Signe zag de gouden armband bungelen.

'Hoi', zei de man nog eens. 'Hoe heet jij?'

'Ik heet Signe.'

De man noemde zijn naam.

'Signe vindt het hier zo fijn wonen', zei haar moeder tegen de man.

Signe merkte op dat ze elkaar glimlachend aankeken.

'Dat begrijp ik heel goed', zei de man.

Signe keek naar hem, hij glimlachte naar haar, het leek wel of zijn lippen nat waren, hij had heel lichte ogen.

'Ik wil alleen maar even iets te drinken pakken', zei Signe.

Ze vond het onbeleefd van de man om zo laat langs te komen. Ze hadden toch kunnen telefoneren. Maar misschien is hij wel eenzaam, dacht ze. Hij is hier immers pas en haar moeder had een paar keer gezegd dat het niet gemakkelijk was om in zo'n kleine gemeenschap met zulke sterke familiebanden te komen wonen.

Haar moeder pakte de pot en twee kopjes en droeg die naar de kamer, de man pakte het derde kopje en de suiker. Signe dacht eraan hoe het bij Inga was; als ze geen koek of gebak hadden smeerde Inga's moeder een paar boterhammen en zette die op tafel. Ze hoorde haar moeder zeggen dat ze er wanhopig van werd dat ze zo'n harde maatregel moesten nemen. Maar als ze bedacht wat ze allemaal hadden gedaan, al dat werk dat ze er al in hadden gestoken, dan was er geen andere oplossing. Ze hadden lang volgens een bepaald model gewerkt om het probleem de baas te worden, en voor sommigen kon dat heel goed functioneren. Of hij dat model kende? Ze noemde een naam. Signe hoorde de man iets brommen, het leek alsof dat ja betekende.

'Maar in dit geval vinden we geen gehoor,' zei haar moeder, 'het is alsof we tegen een muur praten, het lijkt onmogelijk om haar de dingen vanuit het perspectief van de kinderen te laten bekijken, om haar te laten begrijpen hoe het is voor kinderen om onder dergelijke omstandigheden te moeten leven.'

Signe keek in het keukenraam, ze keek naar het meisje met dat lange bruine haar en de bril, ik ben een beetje dik, dacht Signe, maar dat kwam waarschijnlijk door het raam, dat maakte dat je breder leek.

'Ik begrijp het niet', zei haar moeder in de kamer. 'Ik begrijp niet dat ze niet snapt dat kinderen eten moeten hebben dat voor hun leeftijd geschikt is, dat ze gewassen moeten worden en schone luiers nodig hebben.'

Haar moeder had het over verklaringsmodellen, onderzoeken. Af en toe zei de man ook iets, maar haar moeder praatte het meest, snel en helder en duidelijk. Signe hoorde haar vader op de stoep. Hij stampte de sneeuw van zijn laarzen, ze hoorde de hond overeind komen, ze sloeg al kwispelend met haar staart tegen de trapleuning. Ze had liggen wachten tot haar vader weer binnenkwam. Haar vader deed de buitendeur dicht. Ze hoorde de stem van haar moeder gonzend op de achtergrond.

'Brave hond,' zei haar vader, 'brave hond.'

Ze hoorde dat hij de hond klopjes gaf. Toen kwam hij de trap naar de kamer op, ook Signe ging de kamer binnen, bleef bij het raam onder de adventsster staan. Ze keek naar haar vader. Hij had zijn jachtmes in zijn ene hand en een groot stuk gedroogd rendiervlees onder zijn arm.

'Zeg', zei haar moeder tegen haar vader, het klonk kortaf en scherp, haar ogen waren tot spleetjes vernauwd.

Signe begreep dat haar moeder wilde dat hij het vlees ergens anders zou neerleggen en hen niet zou storen, maar er was een bepaald licht in de ogen van haar vader verschenen en hij had dat glimlachje om zijn mond.

'Ik dacht dat je misschien wel wat zelf gerookt rendiervlees zou willen proberen', zei hij tegen de man zonder haar moeder aan te kijken.

De man boog zich voorover in de stoel terwijl hij zijn hoofd naar achteren strekte, hij streek een paar maal het haar van zijn voorhoofd. Haar vader drukte het vlees tegen zijn buik en sneed er een plak af, hij stak hem aan de punt van het mes en reikte hem de man aan. Die keek snel naar haar moeder en stak toen zijn hand uit, pakte de plak en zei dankjewel. Haar vader sneed nog een stuk af dat hij Signe gaf, hij vroeg of haar moeder ook wilde, maar die schudde haar hoofd.

'En,' zei haar vader, hij ging naast haar moeder op de bank zitten, ze schoof een stukje op, 'wat brengt u hier naar het noorden?'

Haar vader keek de man aan met zijn zwarte ogen, glimlachte met zijn mond. Hij legde het vlees en het mes voor zich op tafel, boog zich voorover om zichzelf thee in te schenken. De hond kwam bij Signes voeten liggen, ze ging op haar hurken zitten en aaide haar terwijl ze op het zachte, zoute vlees zoog. De man vertelde dat hij zijn master in zorgmanagement in Canada had gehaald en dat hij van het woeste landschap daar onder de indruk was geweest en wilde zien of Noorwegen iets vergelijkbaars te bieden had. Hij was op jacht naar het echte, het ruige, zei hij lachend, hij keek naar haar vader en toen naar haar moeder, hij keek haar lang aan.

'En u werkt in het psychiatrisch ziekenhuis?'

Hij keek weer naar haar vader.

'Ja, ik werk in de inrichting', zei haar vader.

Signe zou willen dat hij kon vertellen wat hij daar allemaal deed, want hij deed zoveel goeds, ze zou willen dat hij over de wandeltochten zou vertellen, en over de activiteitenavonden, dat de patiënten eindelijk op zichzelf gingen wonen.

'We hadden het over dat urgente geval', zei haar moeder.

Ze zei het tegen haar vader, opdat hij zijn mond zou houden. Ze keek naar Signe, haar ogen wilden dat Signe zou verdwijnen. Signe stond op.

'Kom', zei ze tegen de hond. Ze keek hen aan en zei welterusten, de man keek naar haar en glimlachte, de hond kwam overeind en liep naast haar mee naar beneden.

Toen ze naar bed ging, hoorde ze de stem van haar moeder. De man was er nog steeds. Ze kon de woorden niet verstaan, maar de stem van haar moeder klonk als het water in een beek. Ze vroeg zich af wat haar vader deed, ze had niet gehoord waar hij heen was gegaan, misschien zat hij daar nog op de bank.

Ze probeerde aan Kerstmis te denken. Ze vond dat Kerstmis bijna als kermis klonk, ze zag een groot rad draaien, Kerstmis was een rad van ijzer dat wegrolde en verdween. Ze probeerde aan iets anders te denken, ze probeerde een stralende kerstboom voor zich te zien, een gelijkmatige, groene driehoek vol goudkleurige en rode ballen, met bovenin een verlichte ster en onder aan de voet allemaal glanzende pakjes.

H et was ochtend, dat voelde ze. Er is niemand die me wekt, dacht Signe. Ik word wakker van de geluiden, ze komen mijn oren binnen als ik nog slaap en dan word ik er wakker van. Ze had niets meer gehoord, ze hadden zich vast rustig gehouden, waren naar bed gegaan. 's Zomers is het de hele tijd licht, maar nu is het de hele tijd donker. 's Ochtends is het licht in de gang aan en hoor ik de hond de trap op gaan, dacht Signe, waarschijnlijk word ik daar wakker van, van het schrapende geluid van haar nagels op de gladde trap.

Toen ze de keuken binnenkwam, zat haar moeder daar al. Ze hoorde haar vader buiten de sneeuw van zijn voeten stampen, hij had vast hout gehaald. Signe zei hoi tegen haar moeder, die zei hoi terug, ze glimlachte niet, ze was niet opgemaakt, ze zag bleek. Ze keek Signe aan alsof ze probeerde te vertellen dat er iets volkomen mis was gegaan zonder dat ze kon zeggen wat het was. Signe wist het meteen.

Ze was niet wakker geworden.

Er was iets gebeurd en ze had niet opgepast, ze had gewoon geslapen en dan was haar moeder helemaal alleen. Signe bedacht dat ze beter moest luisteren, zodat ze de volgende keer op tijd wakker werd.

Toen schudde haar moeder het hoofd, alsof ze iets van zich af probeerde te schudden. Het kwam vast door die zaak, dacht Signe, die man was misschien veel te lang blijven zitten, dat zal het wel zijn. Haar moeder nam een halve boterham en sneed een paar plakjes kaas af, die ze erop legde. De radio stond aan, ze hadden het over een toneelstuk voor kinderen, *De reis naar de Kerstster,* dat bijna alle kinderen hadden gezien, zeiden ze, in Oslo.

Signe keek uit het raam, maar het enige wat ze zag waren haar moeder en zichzelf. Haar moeder stond op en schonk nog een kopje koffie in. Ze bleef in het raam naar zichzelf staan kijken, haar haar was donker en recht afgeknipt, haar hand hield het kopje bij haar mond, haar pols leek dun door de armband. Signe zou ook zo'n armband krijgen, voor haar belijdenis.

'Zullen we vandaag kerstkoekjes bakken?' vroeg Signe.

Haar moeder keek haar aan en slaakte een zucht, toen glimlachte ze flauwtjes.

'Dat moet je maar met je vader bespreken. Ik heb het vreselijk druk op mijn werk op het moment.'

Ze hoorde haar vader beneden in de kelder het deurtje van de kachel dichtdoen, ze hoorde zijn voetstappen op de trap, hij was op weg naar boven, ze hoorde haar broer in de badkamer douchen. Haar vader kwam de keuken binnen. Signe keek naar hem, hij keek haar moeder recht aan, het leek of hij kwaad was.

'Het wordt zo lekker warm met die kachel', zei Signe tegen hem.

'Jaha,' zei hij en hij richtte zijn blik op haar, 'nu wordt het warm en gezellig.'

Er klonk een geluid van haar moeder, een soort kreetje. Net of ze lacht, dacht Signe. Haar moeder stak een sigaret op en ging zitten. Plotseling had Signe het idee dat haar moeder om haar had gelachen. Haar vader deed de koelkast open en haalde de fles levertraan tevoorschijn, hij pakte vier lepels en legde die op tafel, toen pakte hij een van de lepels en goot daar levertraan op voor zichzelf, toen hij klaar was reikte hij Signe de fles aan. Haar moeder nam geen levertraan, maar haar vader bleef een lepel voor haar neerleggen. Signe maakte haar lunchpakket klaar, stond op en ging naar beneden naar de gang. Ze stopte haar lunchpakket in haar schooltas, toen ging ze naar haar kamer om naar muziek te luisteren.

Buiten was het donker en binnen in haar kamer was het donker. Ze deed de deur dicht en drukte op *play*. Het was net alsof er een zon opkwam in de melodie, elke toon was een aparte straal, de muziek was het licht. Ze deed haar ogen dicht. De zon scheen de hele dag, vanaf het moment dat ze wakker werden in hun slaapzak en zich aankleedden. Ze zaten in het heldere ochtendlicht buiten voor de hut brood te eten met bacon dat haar vader op het vuur had gebakken. Ze zouden naar een meer gaan dat Sommervann heette. Het was warm en er waren zo veel muggen dat ze de groene hoeden met het muggengaas op moesten. Signe had gedacht dat ze eruitzagen als soldaten en dat het gaas om hen heen camouflage was, zodat ze niet gezien of herkend zouden worden als het oorlog was en ze heimelijk gefotografeerd werden. Met haar ene hand hield ze het net omhoog en in haar andere had ze haar boterham. Ze keek naar haar vader. Hij keek haar met zijn lichte, blauwe ogen glimlachend aan. Haar vader droeg geen muggenhoed, hij smeerde zich in met olie, het leek alsof hij er geen erg in had als de muggen staken.

'Jij gaat daar een grote vis vangen, Signe', zei hij.

Hij was klaar met eten, hij was bezig met de haakjes, die in een doosje zaten. Hij keek haar weer aan, opgewekt.

'De bergforel die achter die grote steen schuilt, die ik toen ben kwijtgeraakt, herinner je je nog?'

Ze knikte en glimlachte naar hem. Haar vader had al vaak over het Sommervann verteld, dat ze daar die zomer heen zouden gaan, het was een lange tocht, maar het was een fantastisch meer had hij gezegd, vol vis, een meer dat niemand kende. Hij was er een keer alleen geweest en nu mochten zij mee. Hij schoof de haakjes heen en weer, het leek alsof hij ergens naar zocht, het leek alsof hij het niet kon vinden. Hij keek naar haar broer.

'En jij,' zei hij, 'jij vangt de zalm. Op de plek waar we de Laksjåkka oversteken, helemaal aan het eind, daar stoppen we om met wurmen te vissen, ik heb er een voorgevoel van dat jij hem gaat vangen.'

Mijn broer keek terug en glimlachte ook. Haar vader pakte een ander doosje uit de rugzak, een plastic doosje met een wit deksel, dat kleine vakjes had waarin weer andere haakjes zaten. Signe zag de kleuren en de kleine punten, die helder glansden.

Haar moeder zat een eindje verderop op een steen, ze keek naar het meertje. Ze had een sigaret in haar hand, er steeg een dun sliertje rook op, in de bergen rookte ze bijna onafgebroken, de rook hield de muggen op afstand. Signe zag dat ze het camouflagenet op de rand voor aan haar hoed had gelegd. In de hut had haar moeder een plastic tas met breiwerk. Ze breide terwijl zij visten, en ze breide 's avonds als Signe en haar broer kaartten met haar vader. Het werd een turkooizen trui met een groen patroon, het was zachte wol, langharig mohair leek het wel.

S igne stond bij de grote sneeuwwal die was opgeworpen op de plek waar de schoolbus stopte. Een stukje verderop langs de weg kwamen een paar anderen aan, ze zag haar broer, en Henning, ze liepen langzaam, waren in gesprek. Het was donker, het enige licht dat scheen kwam van een paar huizen een eindje verder en vanuit de ramen van de inrichting, ze vormden langwerpige vlekken in de sneeuw, ze zag daarbinnen een paar mensen heen en weer lopen, maar ze kon niet zien wie het waren.

Na een poosje kwam de bus. Ze stapte in, ging naast Inga zitten, die bij de vorige halte was ingestapt, de bus reed een rondje langs de huizen. Ze zeiden hoi, maar ze praatten niet met elkaar. Inga was altijd zo moe 's morgens, alsof ze maar een paar minuten had geslapen, dacht Signe. Ze hield haar bril in haar handen zolang die beslagen was. De bus reed over een hobbelige weg, eerst langs de houthandel en de melkfabriek en daarna langs de Coöperatie en NorMaskin, waar 's zomers de groene trekkers buitenstonden, en vervolgens ging het via de rijksweg naar de brug. Aan weerskanten was bos. Ze reden langs de kiosk en het benzinestation, langs de cafetaria en de camping aan de rivier, de bus zwaaide de brug op. Ze zette haar bril op, ze dacht eraan dat ze hier gister ook langs was gereden, maar het was alsof het een andere brug was geweest, ergens anders. Er lag een heleboel sneeuw op de rivier, het leek wel een enorme weg die nog niet was schoongeveegd. In het midden liep een scooterspoor en vandaar bogen sporen af naar de boerderijen en de weinige huizen. Je zag zelden mensen. De bus reed over de lange, open vlakte. Toen verliet hij de rivier en boog hij af, de heuvel op naar school.

Het eerste uur hadden ze zwemmen. Signe had haar zwempak in een plastic zak in haar rugzak, met een groene handdoek. Ze stapten uit, hun gewatteerde jacks knisterden tegen elkaar, ze liep achter Inga aan. Ze zag Henning, die zat in de parallelklas, hij liep samen met een vriend het schoolplein op. Hij sloeg met zijn vuist in de lucht, het had iets te maken met wat hij vertelde, dacht Signe, ze wilde dat ze naast hem kon lopen en kon horen wat hij zei. Ze liep achter Inga aan over het geveegde pad door de sneeuw, ze gingen naar binnen, liepen een trap op en toen weer naar beneden, kwamen bij de banken en de haken, het rook er naar warme chloor. Ze zette haar bril af en stopte hem in haar jaszak. Als ze zonder bril naar Inga keek, leek die ouder. Net een jongen, dacht Signe, met dat korte, donkere haar en dat rechte, magere lijf. Inga liep de trap op naar de douches, haar schouderbladen staken uit.

'Eerst!' riep ze naar Signe.

Haar badpak zat krap. Signe dacht daar nooit aan zolang ze het niet zag, ze vergat te vragen of ze een nieuw kon krijgen.

Ze zaten met natte haren in de klas, ze hadden Noors. Buiten was het nu ietsje lichter, maar het was zo vochtig in het lokaal dat de ramen beslagen waren. Signe zat naast Inga. Ze kregen hun opstellen terug. Ze keek naar het handschrift van Inga, dat was hoog en hoekig en op een regelmatige manier onregelmatig. Voordat Inga er een hand overheen kon leggen, zag ze bovenaan in de rechterhoek het rode cijfer met een rondje eromheen. Ze kreeg haar eigen opstel terug, ze keek naar haar ronde handschrift, het was bijna plat, als een streep boven de streep op het papier. Ze had een fantasieverhaal geschreven over een paard met maar drie benen dat aan een dierenolympiade meedeed. Ze hield van zulke opstellen. De vorige keer had ze over een dag in het leven van een oude schoen geschreven. Een schoen die lang geleefd en veel beleefd had.

Signe en Inga zaten helemaal achterin met hun tafeltjes tegen elkaar aan. De jongens riepen elkaar hun cijfers toe. Degene die voor hen zat draaide zich om en keek op haar papier. Hij riep luid wat zij had gekregen, het was beter dan de anderen. Signe merkte dat een paar meisjes wat verder naar voren samen zaten te fluisteren, iets als dat Signe het lievelingetje was, dat hoorde ze. Inga vouwde haar opstel netjes op en stopte het in haar map, ze is zo netjes met alles, dacht Signe. De leraar had het over belangrijke elementen die niet in een verhaal mochten ontbreken. De bel ging.

In de gang pakten ze hun jassen, wanten en mutsen en trokken alles aan. Inga had een grote, zwarte, gehaakte sjaal die ze een paar keer om haar hals sloeg, zodat het een hoge kraag werd, net een koningin, dacht Signe. De zus van Inga had precies dezelfde kleren, maar het zag er heel anders uit als zij ze droeg. Inga was hard en hoekig, haar zus was zacht en glad en zo werden de kleren ook. De zus van Inga zat in dezelfde klas als Signes broer, in de derde. Ze waren nog niet naar buiten gekomen, misschien hadden ze een repetitie, dacht Signe. Haar broer leerde nooit, maar ook hij was altijd de beste.

Signe en Inga liepen langs de ramen van de derde, ze zagen dat die dikke invalster uit het zuiden hen weer vasthield. Zij praatte en de hele klas zat stil naar haar te kijken, haar kleine mond bewoog snel in dat grote gezicht, de vetrolletjes langs haar lichaam schudden zachtjes heen en weer, ze droeg een knalroze gebreid pakje en ze had lippenstift in dezelfde kleur, dat zagen ze zelfs hier van buiten. Haar broer vertelde dat ze vaak met haar over seks en God en dergelijke praatten en ze had gezegd dat degenen die geen belijdenis zouden doen in plaats daarvan bij haar op een feestje mochten komen. Onze klas heeft nooit invallers, dacht Signe. Ze hadden de hele tijd dezelfde leraren. Elke dag dezelfde leraren en dezelfde leerlingen, dezelfde uren en dezelfde pauzes en dezelfde bus, dacht Signe.

'Ik geloof dat hij je leuk vindt', zei Inga.

'Wie bedoel je?' vroeg Signe, maar ze wist dat Inga het over haar neef had. Ze voelde zich blij worden. Hij was al achttien geweest.

'Hij heeft je telefoonnummer', zei Inga en ze holde achteruit over het plein.

'Wat? Heb je hem mijn telefoonnummer gegeven?'

Ze holde achter Inga aan en begon met haar te vechten. Signe wist haar op de grond te krijgen, het was alsof Inga haar armen zou breken, ze waren zo dun en ze was zo zwak. Zo is dat als je geen broers hebt, dacht Signe. Inga lag op de grond en keek haar met die grote, bruine ogen aan.

'Hij wilde je bellen.'

Ze was volkomen ernstig.

'O ja?'

Signe zette haar knie op Inga's hand, zodat ze met haar want wat sneeuw kon pakken, ze hield de sneeuw recht boven Inga's gezicht.

'En waarom dan wel?' vroeg Signe.

'Om je te vertellen dat hij het zo'n leuk ritje had gevonden, natuurlijk.'

Inga hield haar hoofd schuin en lachte haar luide lach.

'Hij was gisteravond na de bioscoop bij ons, hij vertelde dat jullie een ritje hadden gemaakt, hij bleef tot na twaalven zitten, mijn moeder moest hem ten slotte wegsturen, zodat we naar bed konden.'

Ze hield op met lachen en keek Signe weer ernstig aan.

'Hij wilde je uitnodigen voor nog een ritje. Hij zei dat het zo prettig was met jou in de auto.'

Toen begon ze weer te lachen. Ook Signe moest lachen. Zo prettig met jou in de auto. Daar hadden ze gisteravond bij Inga thuis beslist om gegierd. De moeder van Inga, die lacht met dat zachte gezicht. Signe dacht aan de warme auto. Maar dat ging niet, dacht ze, toch zag ze hen voor zich, alleen hij en zij, op een ijskoude dag met zon en lilakleurig licht over de sneeuw, misschien konden ze wel helemaal naar Berlevåg, naar de pier.

'Laat me los', zei Inga.

Ze begon te schoppen en Signe liet haar los. Ze rolden elk een andere kant op en bleven op hun rug in de sneeuw naar boven liggen kijken. De hemel was wit.

De bel ging weer. In de gang borstelden ze de sneeuw van elkaars rug voor ze hun jassen weer ophingen. Ze liepen de klas in en gingen zitten. Signe voelde zich zo opgewekt, ze merkte dat ze de hele tijd glimlachte.

'Prettig met jou in de auto', fluisterde Inga en ze begonnen zo luid te lachen dat de leraar hen moest waarschuwen. Ze hadden biologie, over kroonbladeren en zaadstengels. Geen van de bloemen op de foto's in hun boek konden hier groeien.

S igne zette de stereo hard en bleef uit het raam staan kijken.
Het was donker, ze zag licht vanuit de ramen van de andere
huizen die langs de keerplaats en verderop langs de weg stonden.
Het was het nummer dat ze de zomer daarvoor elke avond hadden gedraaid.

Haar broer was niet thuis, ze had gezien dat hij met zijn vriend
uit de schoolbus was gestapt, die programmeerde ook. Ze waren
bijna altijd samen, veel meer dan zij en Inga. Ze konden doodstil
op de kamer van haar broer naar de monitor zitten kijken, af en
toe hoorde ze hen zachtjes praten over hoe ze dingen konden
doen, wat er verkeerd kon zijn als er iets mis was gegaan.

Nog maar vijf dagen, dan is het Kerstmis, dacht ze. Ze deed
haar klerenkast open, daar onder haar kleren lagen de cadeautjes
die ze zou geven, ze waren ingepakt en er zaten lange linten
omheen, maar ze wachtte met het strikken ervan tot kerstavond,
zodat de krullen er mooi en nieuw zouden uitzien onder de
kerstboom. Ze deed de kast dicht en draaide hetzelfde nummer
nog een keer. Ze luisterde naar de tekst. Inga en Signe hadden aan
de oever bij de brug gezeten en naar de auto's en de rivier
gekeken, het licht was goudkleurig en rood en oranje geweest
en af en toe was hen een auto tegemoetgekomen met de raampjes
naar beneden en datzelfde nummer hard aan. Signe herinnerde
zich dat ze had gedacht dat het haar lied was en dat het licht zou
blijven en de zomer en de zon zouden blijven zolang dat nummer
werd gedraaid.

Haar vader had na het eten de grote rugzak ingepakt, Signe en
haar broer droegen elk hun eigen extra set kleren en hun regen-
goed. Ze bevestigden hun werphengel aan hun rugzak. De lange,
gele hengel waarmee ze met wurmen in beekjes visten, droegen ze
in de hand. Ze liepen door het bos achter de plaggenhut de

bergen in. Haar vader had hen op de kaart de route aangewezen, ze zouden het plateau oversteken en dan moesten ze langs een paar heuvelruggen tot ze bij het Sommervann waren. Nadat ze daar gevist hadden, zouden ze weer terugkeren naar de hut. Haar vader liep voorop, dook in elkaar voor grote takken, hield kleine takken opzij. Dan kwam zij, dan haar broer en ten slotte haar moeder. De hond liep overal, zwalkte heen en weer. Af en toe was ze ver weg in de bruine hei, ver, ver weg, net een witte punt. Haar vader bleef staan, hij schopte ergens in met zijn schoen, er zat een gat in de grond, dat zag ze toen ze naast hem kwam staan.

'Lemmingen,' zei hij, 'misschien is het een lemmingenjaar. Dan krioelt het er overal van.'

Hij vertelde dat de lemmingen altijd naar een bepaalde plek trokken. Ze liepen steeds maar rechtdoor om er te komen, zwommen lange afstanden, blindelings voorwaarts ook al vielen ze in steile afgronden of verdronken ze, vertelde hij. Ze moesten en zouden voort. Hij keek Signe aan. Ze wist dat hij het over iets anders dan lemmingen had, hij had het over het leven, over haar broer en haar. Ze moesten standvastig zijn en moedig en sterk en het niet opgeven als ze iets wilden bereiken. Ze keek naar haar vader, naar zijn ogen, ze waren zo helder, ze zag overal lemmingen, lemmingen die blindelings voorttrokken, alsof ze allemaal op weg waren naar de ogen van haar vader, een diep, donkerblauw meer.

Ze zette de radio aan en ging op haar bed zitten. Het was tijd voor het programma *Tijd voor een boek*. De hond kwam binnen, ze lokte haar om aan het voeteneind van haar bed te komen liggen. Het boek waaruit werd voorgelezen, ging over twee jongeren in Oslo, ze zaten in dezelfde klas en hadden bijna verkering, maar toen moest de een verhuizen. Ze misten elkaar en plotseling op een dag zagen ze elkaar terug, de een zat in een auto en de ander in een bus en ze reden elk een andere kant op. Signe dacht dat ze daar nooit genoegen mee had genomen. Ze had op zijn minst geschreven.

Ze bleef in bed naar *Uit de bureaula* zitten luisteren. Dat waren dingen die jongeren hadden ingestuurd: gedichten en gedachten die ze hadden opgeschreven, verhaaltjes. Soms hadden ze een wedstrijd en dan deed ze wel eens mee. Ze had al twee keer iets gewonnen, grote enveloppen met pennen en schriften en een kaart van de presentator, en één keer was haar naam voorgelezen. Het was zo raar om je naam op de radio te horen, dat er iemand in Oslo zat en haar naam zei op hetzelfde moment dat zij het hier hoorde. Ze dacht aan al die mensen die haar niet kenden en die het hadden gehoord; ze vroeg zich af hoe ze zich haar voorstelden. Een paar dagen lang had ze zich afgevraagd of iemand op school had gehoord dat haar naam was voorgelezen als winnares van een prijsvraag op de radio. Niemand had iets gezegd. Misschien was zij de enige in het hele plaatsje die op dat moment naar de radio had geluisterd.

Ze hoorde de auto van haar vader aankomen, ze hoorde dat het portier werd dichtgeslagen, haar vaders voetstappen langs het huis, ze hoorde hem buiten op de stoep, hoe hij de sneeuw van zijn laarzen stampte, voordat hij de deur opendeed en binnenkwam. De hond sprong van haar bed en holde naar de gang, de trap op, als haar vader de deur van de hal zou opendoen, zou ze daar vlak achter staan kwispelen en piepen, net als bij haar. Het was min of meer hun hond, van haar en van haar vader, zij praatten met haar. Ze hoorde haar vader hoi tegen haar zeggen. 'Brave, brave hond', zei hij.

Signe herinnerde zich die keer dat ze haar hadden gehaald, toen ze nog klein was. Haar vader had met het busje gereden, hij had met een paar patiënten een lange tocht gemaakt naar waar de pups vandaan kwamen, en haar broer en zij mochten mee. Ze was zo klein en wit en de tocht duurde uren, ze lag bij Signe op schoot en toen werd ze wagenziek. Haar vader werd boos toen ze ziek werd en overgaf, hij zei dat ze hem hadden bedonderd en hem een zwakke hond hadden gegeven, hij wilde dat ze gezond en sterk was. Maar Signe had haar op schoot gehad, op een kleedje, had haar geaaid en getroost, de hond had aan haar vinger gezogen, ze was zo klein en lief.

Ze hoorde dat haar vader plastic tassen bij zich had, hij had boodschappen gedaan. Hij ging naar de keuken, het was bijna vier uur, hij zou vast gauw met het eten beginnen. Toen hoorde ze de auto van haar moeder. Dat geluid was lichter, helderder, vast omdat het een kleinere auto was, dacht ze. Ze hoorde ook haar moeder uitstappen, langs het huis lopen. Maar zij stampte de sneeuw niet van haar schoenen, ze deed gewoon de deur open en stapte direct naar binnen. Toen ze de deur van de hal opendeed riep Signe: 'Hoi, mama.'

Het programma was bijna afgelopen. Ze deed de radio uit en ging de gang in en de trap op naar de overloop. Haar moeder stond voor de spiegel en bracht haar haar in orde. Signe keek naar haar in de spiegel, ze pakte het haar van haar moeder van achteren vast, tilde het op, het was zo zacht en licht. Ze zag dat haar moeder het niet prettig vond dat ze dat deed. Er stonden plastic boodschappentassen op de grond. Ze pakte er een in elke hand om haar moeder te helpen ze naar de keuken te dragen.

'Hoi', zei Signe tegen haar vader, hij stond bij het fornuis. Ze zette de tassen op tafel naast die van haar vader, die hij nog niet had opgeruimd, er lag een brief voor haar, de envelop was lichtgroen. Ze pakte hem op en draaide hem om, hij was van die jongen die op een eiland in de Lofoten woonde, ze had zijn adres uit een van de stripbladen die haar broer van zijn vriend had geleend. Haar vader draaide zich met een pakje boter in zijn hand om.

'Hoi, Signe', zei hij.

Toen keek hij achter haar naar haar moeder. Ook Signe draaide zich om en keek naar haar moeder. Die keek haar vader recht aan.

'Ík zou toch boodschappen doen', zei ze.

'Zullen we kerstkoekjes bakken vandaag?' vroeg Signe.

Dat had ze niet moeten zeggen.

Haar moeder keek van haar vader naar haar en haalde zwaar adem, het was alsof haar ogen zeiden dat ze daar nu absoluut niet aan moest denken. Toen keek ze weer naar haar vader. Signe wist dat haar moeder aan het geld dacht, dat het zonder plan zomaar aan van alles op zou gaan, ze hadden het er tijdens een gezinsbespreking over gehad.

Niemand zei iets.

Signe liep de keuken uit en ging naar haar kamer. Ze ging aan haar bureautje zitten, keek naar de envelop en de postzegel, er stond een visser op in een boot, ver weg op zee, met grote, groene golven die witte schuimkoppen hadden. Ze maakte de brief met haar vinger open, ze zou hem lezen en dan meteen antwoorden.

Boven hoorde ze haar vader iets zeggen en daarop haar moeder met luide stem iets terugzeggen. Toen hoorde ze de voetstappen van haar broer buiten op de stoep. Ze aten altijd om halfvijf, ze keek op de klok, twee minuten over half. Het was zo gezellig om lange brieven te krijgen, ze pakte haar map met het briefpapier en een pen, ze zou terugschrijven, kerststerretjes op de envelop plakken en hem zo snel mogelijk op de bus doen. Misschien had hij hem dan nog voor kerstavond, dat zou hij leuk vinden.

Ze hoorde haar broer binnenkomen, zijn voetstappen op de trap, hij speelde dat stuk van Chopin, kwam binnen en ging meteen zitten spelen. Als hij speelde kon ze hun stemmen niet horen. Toen hoorde ze haar vader haar naam roepen, één keer kort. Ze had een heel blad vol geschreven. Haar broer hield midden in het stuk op, ze hoorde zijn voetstappen boven zich. Ze stond op en liep naar boven. Het was alsof de muziek binnen in haar gewoon doorging, alsof die doorging tot het was afgelopen, tot de laatste toon.

Niemand keek haar aan toen ze de keuken binnenkwam. De damp sloeg van de schaal met aardappelen. Het rode boek lag al klaar bij het raam.

'Jullie moeder', begon haar vader.

Ze waren klaar met eten, midden op tafel lag een hele hoop graatjes op een bord, de adventskaarsen brandden niet. Signe zag dat haar moeder naar haar vader keek, ze keek naar hem alsof ze hem niet kende, met opgetrokken wenkbrauwen, alsof hij een vreemde was, of volkomen gek, misschien was ze nog steeds boos om dat met de boodschappen.

'Ja, wat is er nu weer met me?' zei ze. 'Kun je niet eens een keertje voor jezelf spreken?'

Haar vader reikte over tafel naar het boek en gaf het aan Signe. 'Jij schrijft', zei hij.

Signe sloeg een nieuwe bladzijde op, ze kreeg een pen die haar vader onder zijn trui in het borstzakje van zijn overhemd had, rechts bovenaan schreef ze de datum, maandag 19 december. Nu is het al gauw Kerstmis, klonk het binnen in haar. Nu is het al gauw Kerstmis, horen jullie, het is al gauw Kerstmis.

'Wat is punt een?' vroeg ze toen.

Ze probeerde heel normaal te klinken. Ze wilde dat alles normaal was. Het leek alsof haar vader het niet hoorde. Hij keek alleen maar naar haar moeder en haar moeder keek alleen maar naar hem, toen pakte ze haar pakje shag uit de zak van haar lila vest, maakte het open en trok er een vloeitje uit dat ze met shag begon te vullen. Signe keek naar haar handen, haar armband hing te bengelen. Ze deed alles heel langzaam.

'Ik wil jullie op de hoogte stellen, zodat de hele familie zich ervan bewust is hoe de verhouding tussen jullie moeder en mij is, zodat alles duidelijk is en we niet onzeker en bang hoeven te zijn vanwege dingen die liggen te smeulen', zei haar vader.

Hij klonk rustig. Signe dacht aan de hond, ze wilde dat die onder tafel kwam liggen zoals anders, ze wilde met haar tong klakken, maar dat kon ze nu niet doen. Ze keek naar haar vader, ze wilde laten zien dat ze luisterde, zodat hij niet boos zou worden. Hij wilde dat ze samen sterk zouden zijn. Ze keek naar haar moeder. Die had haar shagje opgestoken. Signe vond dat als ze zo zat, met haar ene arm dicht tegen haar buik en met het shagje in de hand terwijl ze diep inhaleerde, dat het dan leek alsof ze bang was. Je hoeft niet bang te zijn, dacht Signe. We zijn een gezin. We horen bij elkaar. Ze keek naar haar broer. Hij schraapte met zijn vork over zijn bord, hij vond de hele tijd een nieuw plekje waar hij kon schrapen, het zou glanzend schoon worden.

Ze dacht aan de tocht die dag. Toen ze over de grote vlakte wandelden, liepen ze een heel stuk uit elkaar, als stipjes op een blad papier. Het blauwe, dunne, gevoerde jack van haar broer had geschitterd. Dat droeg hij zelfs midden in de zomer, want hoewel de zon scheen was het niet echt warm en haar broer had het bijna altijd koud. Zijn rugzak hing een beetje schuin en zoals ze er nu aan terugdacht liep hij helemaal scheef, alsof de rugzak met de hengel aan de zijkant bevestigd van zijn rug gleed; of de rugzak gleed weg of het leek alsof hijzelf bijna viel, net alsof hij tijdens het lopen langzaam opzij zakte. Ze was achter hem aan geholpen, was naast hem gaan lopen. Ze had niets gezegd. Ze had eraan gedacht hoe het was toen ze klein waren, toen ze hun autootjes mee de bergen in namen. Ze hadden elk huizen en grote parkeerterreinen in hun eigen heidestruikjes aangelegd en dan gingen ze met de auto bij elkaar op bezoek, soms botsten ze tegen elkaar en veroorzaakten ongelukken, zodat ze met de helikopter moesten worden gehaald, of ze speelden dat het oorlog was en dat ze werden aangevallen en dat ze zich verscholen. Ze maakten deuren voor de garages en verstopten de auto's en met mos maakten ze luiken voor de ramen van de huizen, zodat niemand naar binnen kon kijken. De rest van het stuk over de vlakte waren ze naast elkaar blijven lopen, ze herinnerde zich dat ze naar hun schoenen had gekeken – in de bergen hadden ze altijd hun oude joggingschoenen aan want dan deed het er niet toe of die nat werden in een beekje of vuil als ze in het moeras stapten.

Haar vader zei dat hij geprobeerd had met hun moeder te praten.

'Ik begrijp het niet', zei hij. 'Ze gaat naar haar werk en praat en weet zich prima te redden, en dan komt ze thuis en dan is ze stom. Urenlang zit ik bij haar en probeer met haar te praten, maar ze zegt niets. Ze zegt dat ze niet weet wat ze moet zeggen, maar daar heeft ze ergens anders geen last van, niemand kan zo goed praten als jullie moeder.'

Signe keek naar hem, hij was met zijn normale stem begonnen, maar hij was steeds bozer geworden, alsof er binnen in hem iets groeide, zijn stem was net een rivier die steeds grotere stukken van de oevers op zijn weg meesleurde.

'Dan lukt het je allemaal zo goed', zei hij tussen zijn tanden tegen haar moeder.

Signe schreef op dat haar moeder niet met haar vader wilde praten. Signe keek naar haar. Ze zat te roken en keek in het raam. Een keer toen ze met zijn tweeën met de auto naar de stad waren gereden, had ze Signe verteld dat ze had ontdekt dat haar vader het snelst ophield als ze niets zei. Het is een soort cyclus, had haar moeder gezegd, en minstens één keer per week ontlaadt het zich, dan moet het eruit, dat heeft niets met mij te maken, zei ze, dat zit in zijn lichaam. Maar Signe dacht dat het zou helpen als haar moeder zou praten, ze wilde dat haar moeder het zou proberen, dat de stem van haar vader werd onderbroken, hij werd immers juist zo razend als haar moeder niets zei.

'Signe,' zei haar vader, 'als ik je vraag hoe het met je gaat, wat doe je dan?'

Ze keek weer naar haar vader. Hij had dat scherpe in zijn blik. Ze moest snel iets zeggen, zodat hij niet nog bozer werd.

'Dan geef ik antwoord.'

'En hoe doe je dat?'

'Ik voel hoe het er binnen in mij uitziet en dan vertel ik dat.'

'Is dat moeilijk?'

'Nee,' zei Signe, 'dat is gemakkelijk.'

Het was waar dat het gemakkelijk was, het rolde er gewoon uit. Ze voelde het koude zweet uit haar oksels lopen.

'Weten jullie,' zei haar vader en hij lachte even kort, 'als ik jullie moeder vraag hoe het met haar gaat, dan weet ze niet wat ze moet antwoorden. Ze weet niet wat ze moet zeggen.'

Plotseling werd hij weer ernstig. Langzaam, met nadruk op elk woord, fluisterde hij: 'Ze weet niet wat ze moet zeggen.'

Hij gaf een brul en sloeg met zijn vuist op tafel. Signe schrok, ze zag dat er een schok door de arm van haar moeder ging, er viel as op haar bord, een glas viel om. Het was geen woord geweest, alleen een geluid, een kreet.

'En zodra ze het huis uit is en in de auto stapt en naar haar werk rijdt, stromen de woorden haar uit de mond, dan weet niemand beter wat hij moet zeggen dan zij, jullie moeder, dan is het niet te geloven hoe ze praat en hoe slim en bijdehand ze is.'

Hij wachtte weer even.

Signe keek naar haar moeder, die keek terug, haar ogen wilden dat Signe stil zou blijven zitten. Toen draaide haar vader zich naar haar moeder om en schreeuwde, zodat zijn hele gezicht en zijn hele hals met de opgezwollen aderen rood aanliepen: 'Ik geloof je niet. Ik geloof dat toneelspel van je niet. Jij houdt het wel vol, jij knijpt gewoon je mond dicht, dus jij houdt het wel vol.'

Toen fluisterde hij: 'Maar mij hou je niet voor de gek. Ik doe daar niet meer aan mee. Vijftien jaar lang heb ik dat verdragen. Nu is het voorbij. Ik wil niet meer. Mij heb je er niet meer mee.'

Hij deed haar stem na: 'Kijk toch eens hoe dom hij is, hij zeurt maar door dat ik met hem moet praten, maar laat hij niet geloven dat ik ooit toegeef, die idioot, van mij krijgt hij niets.'

Signe keek naar haar moeder. Ze zat stijf rechtop, haar gezicht was uitdrukkingsloos, ze keek recht voor zich uit naar de kandelaar met de vier lila kaarsen, die niet brandden. Signe keek naar haar broer. De tranen liepen hem over de wangen en op zijn trui. Hij keek naar de muur achter haar, het was alsof hij niet hoorde wat haar vader zei, alsof hij een waas van melk voor zijn ogen had. Zoals dat spul dat soms uit de vis komt als je met een vinger langs de buik drukt, dacht Signe, een dunne, wittige stof. Signe hoorde de stem van haar vader, als ze in de bergen de vis schoonmaakten, stroopten ze de huid eraf en legden hem op een rood plastic bord in suiker en zout. De dag daarna sneed haar vader er stukjes af, die ze op brood aten.

Haar moeder begon te huilen, haar vader schreeuwde dat hij die tranen van haar niet geloofde, ook Signe begon te huilen, de tranen liepen haar over de wangen, ze bewoog zich niet, ze maakte geen geluid, ze dacht eraan hoe het soms waaide in de bergen, langs de grond bijvoorbeeld, opwaarts, en soms regende het alsof het hagel was, recht van voren als pijlen in je gezicht, ze probeerde zich de woorden van haar vader als zulke hagel voor te stellen, ze probeerde net als in de bergen te denken: dat het voorbij zou gaan, dat er niets aan te doen was, dat je het alleen maar erger maakte als je je ertegen verzette, ze moest gewoon wachten, wachten tot het over was, ze probeerde aan de opluchting te denken als het voorbij was, als de wolk weggedreven, de nevel opgetrokken en de regen opgehouden was en ze weer ver kon zien, ver over die grote vlakte.

Toen het tijd werd voor het nieuws, begon haar vader af te ronden.

'Ik heb haar een limiet gesteld,' zei hij, 'jullie moeder moet me voor het weekend antwoord geven.'

Maar dat is kerstavond, dacht Signe. Zaterdag was kerstavond. Ze keek naar haar moeder, die keek terug, haar gezicht leek volkomen leeg, haar blik verdween naar iets wat Signe niet kon zien. Haar vader stond op en schoof zijn stoel aan tafel.

'Eens kijken of de wereldoorlog is uitgebroken', zei hij en hij ging naar de kamer.

Hij zette de tv aan, ze hoorde de stem van de nieuwslezer, het was een vrouw. Haar broer stond op, Signe hoorde dat hij naar zijn kamer ging. Ze keek weer naar haar moeder, die had dunne, grijze strepen op haar wangen van de make-up. Haar moeder rookte het laatste stukje van haar shagje op, ze keek in het raam, boog haar hoofd een beetje naar voren en keek vanonder haar pony naar zichzelf. Toen keek ze naar Signe, maar haar blik was er niet bij. Signe probeerde naar haar te glimlachen, ze wilde zeggen dat het vast goed zou aflopen, maar ze wilde niet dat haar vader zou horen dat ze zo met haar moeder praatte, alsof ze tegen hem samenspanden. Hij wil immers alleen maar dat je met hem praat, dacht Signe. Dat is toch niet zo moeilijk, je hoeft alleen maar wat te zeggen, wilde ze zeggen. Maar haar moeder had het gezegd toen haar vader aan het woord was, ze was opgestaan en had geroepen dat ze niet wist wat ze moest zeggen, dat ze het probeerde en probeerde, maar ze wist niet wat hij wilde dat ze tegen hem zou zeggen. Signe vond dat haar moeder haar voor zich zou moeten laten praten, Signe was ervan overtuigd dat zij het er beter zou afbrengen, het leek alsof haar moeder niet begreep wat haar vader zei, en als haar moeder praatte, was het alsof haar vader iets anders hoorde.

Signe wilde snel klaar zijn met het rode boek. We moeten met elkaar praten, schreef ze onderaan, zodat we de dingen begrijpen. Toen schreef ze haar naam eronder. Dit was het vijfde rode boek dat ze hadden, het was nog tamelijk nieuw. De boeken die vol waren, lagen in een la van de wandkast in de kamer. Ze sloeg het boek dicht, stond op en legde het op de aanrecht.

Haar moeder ruimde de tafel af, ze hield de borden een voor een lang onder de warme kraan, de damp steeg naar het plafond. Signe keek naar haar, ze wist dat haar moeder het merkte, maar het duurde lang voordat haar moeder naar Signe keek. Ze leek boos en verdrietig. Signe zou willen dat haar moeder blij zou kunnen zijn.

'Ik ga naar de club', zei Signe.

Haar moeder slaakte een diepe zucht, het leek alsof ze wilde dat Signe thuis zou blijven.

'Ik blijf niet zo lang weg.'

Haar moeder glimlachte flauwtjes en Signe glimlachte terug, toen ging ze ervandoor.

Z e stond in de gang voor de spiegel en zette haar muts op, ze had haar bruine corduroy broek en haar rode jack aan, buiten was het koud, maar binnen was het bijna te warm, haar vader had de kachel weer roodgloeiend gestookt. Ze hoorde hem in een krant bladeren, ze hoorde in de kamer de weersverwachting op de tv, zag de symbolen voor sneeuw voor zich en blauwe rondjes met getallen erin. Tussendoor hoorde ze het snelle geratel beneden uit de kamer van haar broer, hij typte lange codes in voor een nieuw programma. Ze legde haar hand op de klink, de hond kwam boven in de kamer overeind en liep de trap af, Signe deed de deur van de hal open, aaide haar en riep tot straks, maar er kwam geen antwoord.

In de sneeuwwal naast de parkeerplaats waren sporen van urine te zien, ze streek met haar want langs een van de auto's toen ze er langsliep naar de weg. Daar zag ze Henning, hij was op miniski's aan het skiën. Hij klom de heuvel bij hun huis op, het zag er glad uit, hij had geen stokken. Ze zag dat hij al een paar maal was afgedaald, hij had een heuveltje tot springschans gemaakt, maar de sneeuw was te los, ze zag dat zijn sporen er gewoon doorheen liepen. Hij was boven aan de top van het heuveltje aangeland en draaide zich om, zag haar en riep hoi, toen liet hij zich naar beneden glijden. Het lukte hem zonder te vallen en al schaatsend op zijn ski's kwam hij naar haar toe. De man van Hennings moeder was niet Hennings vader. Henning zei dat hij wist wie zijn vader was, maar hij wilde het niet zeggen. Hij had rode wangen, hij moest al een tijdje buiten zijn. Ze vroeg zich af of hij haar vader tekeer had horen gaan. Ze wist dat je de stofzuiger buiten kon horen, want dat had ze een keer gehoord toen ze thuiskwam en haar moeder aan het zuigen was, al van tamelijk grote afstand zelfs. Dus dan kon je vast ook andere geluiden horen, dacht ze. Henning zei er niets over. Hij vroeg waar ze heen wilde. Ze zei dat ze naar de club ging.

'Dat was ik helemaal vergeten', zei hij.

Hij deed zijn ski's af en gooide ze een voor een bij de muur van het huis neer. Hij kwam naar haar toe en ging naast haar lopen. Hij vertelde iets over een feest waar zijn tante zaterdagavond was geweest. Twee kerels waren met elkaar slaags geraakt en waren met messen naar elkaar gaan gooien en toen was er iemand die niet had gemerkt wat er aan de hand was en die kwam uit de wc en kreeg een mes in zijn dij, het had rechtop in zijn been gestaan, als in een muur. Henning keek haar lachend aan.

'Hebben ze hem met de ziekenauto naar de stad gebracht?' vroeg ze.

Henning glimlachte. 'Hij heeft hem er gewoon uitgetrokken en bruin plakband gehaald', zei Henning.

De man was al eens eerder in het ziekenhuis geweest en dat was genoeg, had hij gezegd. Signe keek naar Henning, die bruine muts en dat blonde haar dat eronder tevoorschijn kwam, dat blonde haar en al die sproeten, die bijna doorliepen tot op zijn lippen. Het was onmogelijk te weten of wat hij vertelde waar was.

'Wat staar je me aan?' vroeg Henning en hij duwde haar hard in de sneeuwwal.

Ze viel in de zachte massa.

'Zal ik je nu meteen inzepen of straks?' vroeg hij en hij pakte wat sneeuw en hield dat hoog boven haar, zodat het op haar gezicht en haar bril dwarrelde.

'Pas jij maar op', zei Signe en ze schopte zo naar hem dat hij terugdeinsde.

Er kwam een auto de hoek om, hij kwam hun kant op. Signe stond op. Ze dacht aan de neef van Inga, maar het was hem niet. Ze bleven naast elkaar aan de kant van de weg staan tot de auto voorbij was.

Signe veegde met haar trui de sneeuw van haar brillenglazen, ze voelde de koude lucht op haar buik. Ze liepen door zonder iets te zeggen. Het was prettig om samen door het donker te lopen.

Opeens bleef Henning staan en keek haar aan, dat was bij de helling naar het dorpshuis.

'Hé, Signe', zei hij.

Toen zei hij niets meer. Ze keek naar hem, zijn gezicht vlak bij het hare, die blonde wimpers. Ze hield haar hoofd schuin. Ook Henning hield zijn hoofd schuin, hun lippen waren vlak bij elkaar. Zo bleven ze een tijdje staan zonder iets te zeggen, toen glimlachten ze.

Ze liepen tegelijkertijd weer door. Signe bedacht dat ze als ze allebei ergens anders hadden gewoond, elkaar brieven hadden kunnen schrijven, fijne, lange brieven.

Er waren nog niet veel anderen in de club, ze zaten boven aan de tafels te praten, in de keuken waren twee meisjes uit de derde bezig met een mixer deeg voor wafels te maken, ze zag hen achter het buffet, een van hen draaide zich telkens om als de deur openging, om te zien wie er binnenkwam. Signe zei hoi, ze zette haar muts af en deed de rits van haar jack los. Henning zei dat hij even naar de kiosk ging, dat hij zo weer terugkwam, hij liep naar een stel anderen die aan een tafeltje zaten, Signe ging de trap af naar de kelder. De club was in de schuilkelder. Daar hadden ze van alles op de muren geschilderd: landschappen en regenbogen. Bij de ingang was een dame in rood en zwart afgebeeld. Het moest een vrouwelijke punker voorstellen die hardrock zong of zoiets. Drie jongens uit haar klas zaten aan een van de tafeltjes te kaarten en als zij het plafondlicht uitdeed en muziek opzette, zouden ze boos worden.

Ze ging naar de wc. Er was verder niemand. Ze bekeek zichzelf in de spiegel. Ze vroeg zich af hoe ze er zonder bril uitzag, zette hem af, ze werd wazig, bruin haar aan weerszijden van een gezicht, ze zag het veranderen als ze glimlachte, het werd breder. Er kwam iemand de trap af en ze zette haar bril weer op. Het was een van de meisjes uit de keuken. Signe zei hoi. Het meisje zei ook hoi en ging een van de wc's binnen, deed de deur op slot. Signe keek nog eens in de spiegel en ging toen naar buiten. Ze hoopte dat haar broer en zijn vriend ook zouden komen, normaal gesproken draaiden die twee altijd muziek, dan stonden ze naast elkaar achter de pick-ups naar iedereen die danste te kijken en de vriend draaide altijd de platen waar zij om vroeg.

Ze ging de clubruimte binnen en liep naar de zwarte muziek-tafel. De platen stonden in houten kisten op een tafel tegen de muur. Ze bekeek de hoezen een voor een tot ze de juiste vond, haalde hem eruit en legde hem op de draaitafel, drukte op het knopje, het rode lichtje, ze tilde de naald op, zag dat de plaat begon te draaien. Ze zette de naald in de tweede groef. Het kraakte, de muziek begon, eerst niets dan ritme, toen klonk de melodie op, vulde de hele ruimte, was overal. Ze glimlachte. Een van de jongens die op de bank zaten, stond op en brulde: 'Ver-domde kuthoer!'

De anderen lachten. Signe deed haar ogen dicht en wilde alleen de muziek horen, ze zette het geluid harder. Ze hoorde de jongens nog meer vloeken, maar ze bleven zitten. Zo was het altijd, als ze wilden dat het stil was hoefden ze alleen maar naar boven te gaan. Signe liep naar de deur en deed het licht uit, ze liet de spiegelbol aan het plafond draaien. De jongens vloekten weer, deden het lampje aan de muur boven het tafeltje aan en speelden verder. Ze begon te dansen. Ze wilde dat de neef van Inga nu in de deuropening zou staan en haar zou zien, haar zien, hier, midden in het vertrek terwijl ze danste, haar zou zien stralen.

Ze danste een beetje afzijdig in een hoek, er kwamen nog twee anderen op de dansvloer, een van de kleinere jongens draaide platen, hij was niet jonger dan zij, alleen maar klein, net een dun takje. Plotseling stond Henning in de deuropening. Hij keek de ruimte rond, toen keek hij naar haar. Hij glimlachte en schudde zijn hoofd. Ze wist dat hij dansen maar onzin vond. Hij bleef een tijdje naar haar staan kijken, met zijn hoofd tegen de deurpost geleund, glimlachend. Toen draaide hij zich om en ging weg. Ze zag zijn smalle rug, het witte, krullende haar op zijn hoofd was doorzichtig in het blauwe licht van de gang, het zwarte ski-jack en die dunne benen in de scooterlaarzen en toen zag ze hem niet meer. Haar broer en zijn vriend waren niet gekomen, ook Inga was er niet. Eigenlijk was het best prettig om alleen te zijn met de muziek, in de muziek, en alleen maar te dansen, te dansen zonder ergens aan te denken. Inga hield niet van dansen, ze was net een kalf, dacht Signe.

Plotseling keek ze naar de klok, het was negen uur, ze had meer dan een uur gedanst. Ze pakte haar jack, dat lag in de hoek van de bank waar bijna nooit iemand zat. Ze trok het aan, deed de rits dicht, pakte haar sjaal, haar muts en wanten hield ze in haar hand. Ze ging naar buiten. Nu is het gauw Kerstmis, dacht ze, nu is het gauw Kerstmis. Ze keek naar de lucht, er was geen noorderlicht. Ze dacht aan de echte kerstman, die dik was en in het rood gekleed en die een witte baard had en glimlachend in de slee zat terwijl de rendieren in zacht golvende bewegingen op en neer holden. Toen dacht ze aan Peter Pan, aan de film die op kerstavond op tv was, die waarin hij de kinderen ophaalt als ze in pyjama zijn en zegt dat ze kunnen vliegen, zelfs de hond krijgt toverpoeder op zijn achterste.

Ze was bezweet van het dansen, ze trok haar rits naar beneden en liep met haar jack open. De sneeuw kraakte onder haar laarzen. Ze nam de kortere weg tegen de heuvel op, daarna moest ze nog een heuvel op, toen ze op de vlakte bij de inrichting kwam waaide het, ze voelde dat ze het koud kreeg en trok haar ritssluiting weer dicht. Ze hadden een rode ster voor een van de ramen gehangen, er viel roze licht op de sneeuw. Misschien had haar moeder wel deeg gemaakt en konden ze de volgende dag peperkoekjes bakken. En ze moesten nu al gauw een kerstboom kopen. Nog maar vijf dagen. Ze verheugde zich erop op kerstavond de kamer binnen te komen en hem daar te zien staan, het was het mooiste om er zonder bril naar te kijken, want dan werd alles zo wazig en waren de lichtjes van de kerstboom net stralende sterretjes. Ze dacht aan de kerstcadeautjes die ze zou geven, voor allemaal iets speciaals, ze zouden zien dat ze aan hen had gedacht. Ze had wat van het geld uitgegeven dat ze met oppassen had verdiend en zij en haar broer hadden wat van haar moeder gekregen. Ze had voorgesteld om thuis samen kerstcadeautjes te maken, dat had ze op tv gezien toen ze nog klein was, dat ze samen bij elkaar zaten en kerstcadeautjes maakten en dingen knipten uit glanzend papier. Haar voorstel stond in het rode boek, het was lang geleden dat ze dat hadden opgeschreven.

Beide auto's stonden op de kleine sneeuwvrije parkeerplaats voor het huis, de kleine, nieuwe van haar moeder en de grote, oude van haar vader. De sneeuwstep was weg, haar broer was vast samen met zijn vriend ergens heen. Ze zag Hennings moeder voor het raam op de eerste verdieping. Ze was lang en mager en had heel kort haar dat net zo blond was als dat van Henning. Ze lachte vaak zomaar ergens om en ze zette altijd iets te eten neer als Signe op bezoek was, ze zei altijd over zichzelf dat ze meer moest eten en iets dikker moest worden, zodat ze het niet zo snel koud had. Soms vertelde ze verhalen over dingen die ze had gedaan of die waren gebeurd, en Henning maakte grapjes met haar en dan trok ze hem aan zijn kuif, zo te zien deed dat zeer, maar Henning lachte alleen maar.

Het buitenlicht brandde niet. Signe ging de hal binnen, ze hoorde de hond over de vloerbedekking lopen en de trap af komen, ze luisterde, maar ze hoorde geen stemmen. Ze hing haar jack op en trok haar laarzen uit, deed de deur van de hal open en ging de gang in. Het was volkomen stil, alleen de hond stond daar te kwispelen. Ze aaide haar. Signe voelde dat ze het koud had, er liepen koude druppels uit haar oksels.

'Hoi', riep ze.

Niemand gaf antwoord. Toen hoorde ze een stoel in de keuken kraken. 'Hallo', riep ze nog eens. Ze liep de trap op. De hond kwam achter haar aan, ze kwispelde flauwtjes. Signe stampte hard met haar voeten op de vloer, zodat ze haar zouden horen. Ze ging de hoek om en keek de keuken in. Ze schrok toen ze hen zag, ook al was ze er bijna van overtuigd geweest dat ze er waren. Haar vader zat met zijn rug naar haar toe, ze zag het gezicht van haar moeder. Ze keek naar Signe. Het leek alsof ze zou willen dat Signe niet was gekomen.

'Ik dacht dat er niemand thuis was.'

Haar moeder probeerde te glimlachen. Haar vader zat daar met die grote rug van hem. De keuken was opgeruimd, de aanrecht was schoon en leeg. Zo te zien had haar moeder geen deeg voor peperkoekjes gemaakt.

Signe ging naar beneden, naar bed. Ze dacht aan de handarbeidles. Geen van de klassen had gewoon les, iedereen kon kiezen uit verschillende dingen die je kon doen, bakken, hout bewerken, naaien. Ze zag het lokaal voor zich, zag hoe de tafeltjes U-vormig tegen elkaar waren gezet, er hingen hartjes voor de ramen en glanzende slingers over het bord. Ze lachten, ze zag Inga en de andere meisjes giechelen en de jongens lol trappen, en ze zouden sketches maken voor de kerstafsluiting. Signe zag het voor zich, in haar gedachten liep iedereen glimlachend rond en was met iets bezig, iedereen was bezig iets te maken en liet het zien, ze wilde in slaap vallen terwijl ze aan dat prettige, warme licht en aan die glimlachjes dacht, aan mensen die lachten. Ze viel niet in slaap. Ze luisterde naar de stemmen. Ze kon hen niet horen. Ze bedacht dat ze in plaats daarvan moest proberen aan iets stils te denken, iets zachts, iets dicht tegen de slaap aan, aan de wind misschien, ze dacht aan het geluid van de wind over de besneeuwde hoogvlakte, het gesuis, de losse riempjes van de rugzak die heen en weer zwaaiden. Ze kon niet slapen. In het bos achter het huis hoorde ze iemand met een sneeuwscooter, misschien iemand die in de bergen was geweest. Je kon direct achter het huis de bergen in gaan, door het bos. Er liepen loipes naar boven, die werden vaak door de sneeuwscooters vernield. Waar de bomen ophielden stond een kist met een deksel, daarin lagen een potlood en een blocnote waar je je naam, de datum en de tijd op kon schrijven. Vandaar was er niets dan sneeuw en hoogvlakte, vlak en open, kilometers ver, helemaal tot aan de zee, ver, ver weg aan de andere kant. En dan was er alleen nog maar water, ijskoud water helemaal tot aan de noordpool.

Je kunt van hier naar de hut lopen, dacht Signe plotseling. Als ik maar lang genoeg doorloop, kom ik er, het is immers aan deze kant van de rivier. Dat gaf haar een blij gevoel, het was zo merkwaardig. De berg die hier vlak boven het bos begint, hangt samen met de berg waar de hut is. Dan is die dus op een bepaalde manier hier, dacht ze. Ze glimlachte en de hond, die naast haar bed lag, begon te kwispelen, ze sloeg met haar staart op de grond. Misschien voelde ze dat Signe aan de bergen dacht, zou ze ook willen dat ze daar was. Signe zag hen beiden rennen, in de zon, op een warme dag in de zomer, hollen over de zachte heide, de vrolijk opspringende hond.

Ze sliep bijna toen haar moeder haar kamer binnenkwam. Ze deed de kast open en legde schone kleren op de planken, toen ging ze weer weg.

Op sommige dagen is het zo prettig om wakker te worden, dacht Signe. Op sommige dagen is het alsof het lichaam zomaar wakker wordt en is het net een vrolijk stokje in een beekje dat door het water wordt meegevoerd. Vandaag hebben we handarbeid en maken we kerstspullen op school en dan duurt het nog maar vier dagen tot het Kerstmis is. Ze stond op en keek in haar kast. Ze zou iets moois aantrekken, het was alsof er bij handarbeid van alles kon gebeuren, iets magisch. Misschien heeft Tinkelbel wel toverpoeder op me gestrooid terwijl ik sliep, dacht ze. Maar eigenlijk hoor ik U natuurlijk te bedanken, God, zei ze in zichzelf. Ze deed haar ogen dicht en bad: Lieve God, zegen deze dag. Laat mij Uw dienaar zijn en Uw vreugde en liefde verbreiden. U heeft mij zoveel gegeven, God, laat mij het vandaag verder verdelen, Heer, zowel op school als thuis, en dank U dat ik zo blij ben. Ze keek in haar kast. Ze hoorde haar vader boven in de keuken, hij was bezig de tafel te dekken, ze hoorde het geluid van de borden en de stemmen op de radio, die hard stond. Ze keek naar het raam, ze had de gordijnen opengedaan, het was donker buiten, ze zag zichzelf. Nu is het al gauw Kerstmis, zei ze en ze glimlachte naar het meisje in het glas. Je bent een fijne meid, dacht ze, een bijzonder meisje. Je bent verstandig en positief.

Toen ze de keuken binnenkwam, zat haar vader de krant te lezen. Als ze 's morgens de hut uit kwam, hing er vaak nevel boven het meertje en dan was haar vader al op en had hij het vuur aangemaakt en zette koffie, hij glimlachte naar haar door de rook heen als ze naar buiten kwam, hij zong dat het een lieve lust was, een stukje van een lied, een opera, een aria. De krant was van de vorige dag, die kwam met de post in hun bus op het postkantoor bij de winkel, hij kwam 's avonds en gewoonlijk reed haar vader er nog heen om hem te halen, maar het lukte niet altijd hem meteen te lezen.

Ze liep naar het raam en probeerde te kijken of ze iets zag. Geen ster te zien, zelfs geen streepje licht daar ver weg. Dit is de donkerste week van het jaar, dacht Signe. Ze ging zitten en pakte een boterham. Haar moeder kwam binnen, ze schonk een kopje koffie in en ging ook zitten, stak een shagje op. Ze blies de rook uit en die zweefde ijl en grijs over de tafel naar het raam. Signe keek haar aan, ze maakte een heel normale indruk.

'Zullen we vandaag kerstkoekjes bakken?' vroeg Signe.

Ze vroeg het met een blijde stem, terloops, ze glimlachte naar haar moeder. Die keek haar aan en fronste haar wenkbrauwen, alsof ze eerst niet begreep waar Signe het over had. Ze keek naar haar vader, haar schouders kregen iets zwaars, ze keek weer naar Signe.

'We zullen schoonmaken en bakken en versieren en boodschappen doen en opruimen en alles voorbereiden', zei ze.

Ze klonk boos.

'Het hoeft niet per se vandaag,' zei Signe, 'maar het is al gauw Kerstmis.'

Ze probeerde opgeruimd te klinken. Haar vader legde de krant weg en keek haar aan. 'Ja, Signe', zei hij.

Hij keek naar haar moeder terwijl hij tegen Signe zei: 'Natuurlijk zullen we alles voorbereiden voor de kerst. We zijn immers een gezin. Natuurlijk zullen we koekjes bakken voor de kerst.'

Zijn stem klonk rustig en warm, maar in zijn ogen was nog iets anders. Signe keek naar haar moeder. Die keek naar haar vader, maar ze zei niets. Haar vader keek naar haar moeder, hij glimlachte, hij leek zowel bedroefd als boos, dacht ze.

Ze luisterde naar de radio, er was nog steeds geen sneeuw in Oslo. Ze dacht aan de handarbeidles. Ze zou al gauw van huis gaan en naar de bus lopen en dan zouden ze de hele dag in het warme schoolgebouw blijven en alleen maar leuke dingen doen, ze hoefden geen enkele pauze naar buiten.

Ze stond op. Haar vader en haar moeder zaten elkaar zonder iets te zeggen aan te kijken. Ze ging naar beneden naar de badkamer, ze hoorde dat haar vader met zachte, doordringende stem begon te praten, net een ononderbroken lijn. Ze stond voor de spiegel en borstelde haar lange, saaie haar, toen poetste ze haar tanden. Haar broer liep langs haar heen de trap op, hij ging aan de piano zitten. Als hij nu begon te spelen, hoefde zij niets meer te horen.

Haar broer had als eerste beet en zij was daar zo blij om. Met de lange, gele hengel zwaaide hij de vis in een grote boog aan land, ze stonden naast elkaar bij de beek en de bladeren van het struikgewas waren grijs en groen en het licht van de zon scheen fel, ze waren op weg naar het Sommervann en al over de helft. Ze gooiden de hengels neer en holden om de kronkelende vis te pakken. Grijp hem, riep Signe, en eerst wilde haar broer niet, maar toen boog hij zich met die lange, smalle handen voorover, pakte de vis op en trok de kop in één keer naar achteren. Het was een grote, Signe dacht dat het merkwaardig was dat hij in die kleine, ondiepe beek had gezwommen. Haar vader kwam erbij, ze gingen met de vis naast elkaar staan, hij nam een foto en toen gaf hij haar broer een schouderklopje.

'De grote visser.' Hij wees naar links en naar rechts, zodat ze zouden zien dat daar ver weg twee grote, stille meren lagen die met elkaar verbonden waren door deze beek en dat de vis waarschijnlijk op weg was geweest van het ene meer naar het andere.

Haar moeder zat een stukje achter hen op een steen te roken, achterovergeleund naar de zon gekeerd, die hoog aan de hemel stond, het was daar onbegroeid en er stond een beetje wind, zodat er niet zoveel muggen waren, het leek alsof ze het naar haar zin had, had Signe gedacht, nu gaat het vast goed met haar.

Haar vader ontvouwde de kaart op een grote, platte steen, hij liet zien waar ze waren, wees de route aan die ze verder zouden volgen. 'Daar ligt het Sommervann', zei hij en hij keek Signe glimlachend aan, toen zette hij zijn sterke, bruine vinger op de plek waar de hut was, daar zouden ze 's avonds weer terugkeren. Daarna stonden ze op, haar vader stopte het zakje met chocolade en rozijnen terug in het zijvakje van de rugzak en ging op pad terwijl hij naar een paar bergen een stukje verderop wees, ze waren niet steil, het waren meer langgerekte heuvels in het vlakke landschap, en daarachter was er nog een, en heel ver weg nog een.

'Als we daar zijn,' zei hij, 'dan kunnen we het zien.'

Het liep zo soepel over de pollen heide en als je genoeg vaart had ging het vanzelf, alsof je zweefde, net als wanneer ze zonder rugzak op hun rug over de droge heidevelden holden, haar broer en zij.

Ze ging naar haar kamer, haar broer begon een nieuw stuk te oefenen. Ze zette haar stereo-installatie aan, tilde de naald op en zag de plaat ronddraaien, ze liet de naald zakken. Ze deed haar ogen dicht en wachtte op de melodie, op de eerste tonen. Plotseling werd er op het raam geklopt. Ze deed haar ogen open. Het was donker, maar ze zag vaag een hoofd met wat krullen, die onder een muts uitstaken. Het was Henning, ze stak haar hand op, liep naar het lichtknopje naast de deur en deed de lamp aan het plafond aan, toen liep ze terug, tilde de naald weer op en deed het raam open.

'Signe, kun je iets voor me doen?' vroeg hij zachtjes. Hij glimlachte.

'Ja,' zei Signe, 'maar het hangt er wel vanaf wat het is.'

Hij haalde een klein, dik boek uit zijn rugzak.

'Kun jij dit voor me verstoppen? Mijn moeder gaat het huis doen en haar schoonmaakbeurten kennen geen grenzen.'

Signe keek hem aan. Toen keek ze naar het boek. Voorop stond een foto van een vrouw, ze droeg een doorzichtige rok en had enorme borsten. Henning keek haar aan.

'Niet meer dan één verhaal per dag lezen hoor, dat is niet gezond.'

Hij glimlachte.

'Wacht je op me?' vroeg Signe.

Hij gaf een knikje naar achteren met zijn hoofd om aan te geven dat hij naar de weg ging. Ze deed het raam dicht. Ze bladerde met haar duim door het boek, het was vol tekst, er waren nauwelijks foto's. Ze stopte het in de onderste la van haar kastje, onder haar sieradendoosje. Ze zette de stereo-installatie af en deed het licht uit, haastte zich de gang op, trok haar jas en laarzen aan, zette haar muts op en pakte haar wanten.

Ze hoorde hen boven in de keuken. De zachte, doordringende

stem van haar vader. 'Wie ben je eigenlijk?'

Ze bleef doodstil staan, zonder adem te halen. Ze wilde horen of het al overging, of het voorbijtrok, verdween, zoals wanneer de mist oplost, of wanneer het ophoudt met regenen en de zon doorkomt. Ze hoorde haar moeder een zucht slaken. Geef dan antwoord, mama, dacht ze. Geef gauw antwoord voordat hij boos wordt! Het was even stil. Toen brulde haar vader: 'Wie ben je verdomme!'

Als hij maar niet zo'n lawaai maakte dat Henning het zou horen. Ze klemde de sjaal en de wanten in haar hand, riep: 'Doei.' Ze zag hen voor zich, dat beeld kende ze vanbinnen en vanbuiten: ze staarden elkaar aan, haar moeder zat aan tafel, haar vader stond bij de koelkast, geen van beiden zei iets.

Ze deed de buitendeur open. Toen ze hem weer dichttrok waren ze verdwenen, was haar hoofd leeg. Ze liep de hoek van het huis om en zag Henning aan de kant van de weg staan.

Hij glimlachte. Zo te zien had hij niets gehoord.

'Zet dat spek in beweging', riep hij en toen zij dichterbij kwam holde hij een paar passen weg.

'Jij kleine opdonder', zei ze en ze glimlachte terug.

Ze voelde hoeveel ze om hem gaf, ze begon er bijna van te huilen. Ze liepen op een holletje langs de weg, sloegen de hoek om, Henning had zo'n mager, soepel lichaam.

'Wat ben jij een slappeling geworden', zei Henning.

'Wat bedoel je?'

'Het lukt je nooit om mij te pakken.'

'O nee?'

Ze holde achter hem aan, hij was een typische Same, dacht ze, hij bleef altijd op de been en zijn lichaam leek zo sterk en zacht. Ze wist hem te pakken te krijgen, hield hem bij zijn arm vast, wist haar arm om zijn hals te slaan met haar hand onder zijn kin, draaide zijn hoofd opzij, een doeltreffende greep, hij viel op de grond en zij ging boven op hem zitten.

'Jij verdomde vleesberg,' zei hij, 'brillenkut.'

Ze drukte zijn armen naast zijn hoofd in de sneeuw, boog zich voorover naar zijn gezicht.

'Pas op, jij', zei ze.

'Waarvoor?'

Zijn ogen waren zo licht.

'Anders kus ik je.'

Ze zei het zachtjes. Haar haar hing om hen heen, daarbinnen waren ze helemaal alleen.

'Dat durf je verdomme niet', mompelde hij.

En toen deed ze het. Snel en zacht. Drukte haar mond op de zijne. Zijn lippen waren koud. Ze keek hem aan met haar gezicht dicht bij het zijne. Hij had lieve ogen. Toen liet ze hem los en kwam overeind. Henning pakte wat sneeuw en achtervolgde haar tot ze bij de anderen waren.

Iemand zei iets tegen Henning en hij bleef met hem staan praten. Signe bleef erbij staan en vormde met haar schoen patronen in de sneeuw, ze drukte haar zool erin, zodat er ribbels en golfjes ontstonden, zoals de zee die in het zand op het strand vormt.

Ze moesten lang wachten tot de bus kwam. Henning zei dat ze te laat zouden komen en dat als de volwassenen iedere dag zo lang in de kou zouden moeten wachten, ze allang een hokje hadden gebouwd. Toen de bus kwam waren haar tenen net ijsklompjes. Hij lichtte geel op in het blauwe donker, net een trein, dacht Signe.

Henning stapte na haar in. 'Wacht maar af', zei hij zachtjes achter haar, ze kon horen dat hij glimlachte. Ze ging naast Inga zitten. Ze zeiden hoi. Signe luisterde naar Hennings stem. Om te horen waar hij ging zitten. Met wie hij praatte. Ze wilde niet dat hij behalve met haar nog met andere meisjes lol had.

De bus reed langs de melkfabriek en de houthandel en langs de Coöperatie en NorMaskin en toen de lange helling af door het bos naar de brug. Bij de benzinepomp zag Signe de auto van haar moeder staan. Hij was leeg. Misschien is ze binnen om iets te kopen, dacht Signe. Er stond een trailer naast de benzinepomp met een kerstboompje met gekleurde lichtjes voor het raam. Toen ging de deur open en kwam haar moeder naar buiten, het gele licht hing om haar heen, ze hield een worst voor haar geopende mond. Signe zag dat haar moeder haar zag. Het was alsof de hand met de worst viel, met haar armen langs haar zij, alsof de worst er niet meer was, keek haar moeder de bus na. Signe zag dat ze haar hoofd schudde, van de ene kant naar de andere, alsof ze wilde zeggen dat het niet waar was, toen zag ze haar niet meer.

De bus boog af naar de rivier, reed over de brug, boog linksaf naar school. Nog maar vier dagen, dan was het kerst.

Z e stonden in de gang voor het huishoudkundelokaal op de lerares te wachten. Ze keek naar de anderen in haar groepje, een paar van hen zaten bij haar in de klas, een paar anderen zaten in de derde en de vierde. Ze voelde zich zo blij, alsof er een heimelijke band tussen iedereen in de bakgroep bestond. Net alsof we kleine hulpkabouters in de echte kerstwerkplaats op de noordpool zijn, dacht Signe, van iets bakken werd ze altijd zo blij, ze glimlachte naar een meisje uit de vierde, dat tegen de muur tussen de twee ramen geleund stond, maar het meisje staarde alleen maar terug. Signe dacht aan iets wat haar vader altijd zei. Dat het erom ging de dingen vanuit het perspectief van de zwakkeren te zien.

Ze keek weer naar het meisje, dat bleef Signe recht aan staren. Ze wist niet wie het was. Ze woonde vast een stuk verderop in het dal en moest 's morgens vroeg de bus nemen, dacht Signe. Misschien was haar vader alcoholist en sloeg hij en misschien lag haar moeder wel in het ziekenhuis, misschien was ze wel gek. Ik kan niet verlangen dat je blij bent, dacht Signe. Maar ze voelde haar eigen vreugde als een zevenster in haar buik, zo'n bloemetje dat vroeg in de zomer rond de hut in het bos groeide.

Verderop in de gang ging een deur open. Signe zag haar broer met een camera in zijn hand uit het fotolokaal komen. Hij praatte met iemand anders uit zijn klas.

'Jullie moeten foto's van ons komen maken voor de muurkrant', riep ze naar haar broer.

Ze zag de foto's voor zich, ze had de mouwen van haar trui opgestroopt, haar handen zaten vol deeg en haar schort zat onder het meel. Ze glimlachte en haar haar hing zo soepel rond haar gezicht, dat zou mooi staan met al dat meel en deeg, dan zou ze eruitzien als zo'n meisje dat zich er niets van aantrok hoe ze eruitzag, maar desondanks ontzettend mooi was.

'Kunnen jullie geen foto's van ons komen maken?' riep ze nog eens naar haar broer, maar hij draaide zich gewoon om en liep door de gang alsof hij haar niet had gehoord. Toch wist ze dat dat wel het geval was.

Toen kwam de lerares. Signe stond helemaal vooraan, ze glimlachte naar haar. De lerares opende de deur en deed het licht aan. Signe keek het grote lokaal rond. Wat is het hier mooi, dacht ze. Voor het raam hingen hartjes van peperkoek aan rode lintjes en op alle vier de tafeltjes lag een rood kleedje en stond een kaarsje in een rood geschilderd kandelaartje, dat uit een houten kogel bestond die op drie kleine, rode kogels rustte. De lerares deelde hen op in groepjes en verdeelde recepten en taken. Signe keek naar haar. Ze was jong, ze had lang, bruin haar en lachte veel, het lijkt alsof ze het leuk vindt zo met de leerlingen samen, dacht Signe. Ze had zulke vriendelijke ogen. Iedereen wist dat ze al op haar zestiende een kind had gekregen, toen was ze maar drie jaar ouder dan zij nu waren. Haar dochter zat op de lagere school, Signe had haar gezien, ze had net zulke bruine ogen als haar moeder. Ze begonnen met de voorbereidingen. Al die vrolijke geluiden: opmerkingen, water uit de kraan, een paar jongens die vloekten en lachten. Meel afwegen, de lichtgele boter in het pannetje, dat zachte, gedempte licht boven de aanrecht.

'Hoeveel suiker zei je?'

Ze keken elkaar lachend aan, Signe en het meisje met wie ze nog nooit had gepraat. Signe rolde het deeg uit en het meisje stak er rondjes uit. Ze stonden naast elkaar, zagen de rondjes naar de bodem van de pan zakken en daarna weer opstijgen, het borrelde wat en toen werden ze geel. Het meisje haalde ze er met een houten pin uit en legde ze op een stuk keukenpapier. Het was warm in het grote lokaal en het rook er lekker. Het ruikt naar kerst, dacht Signe.

Buiten was het ietsje lichter geworden. Ze zag haar broer samen met twee anderen. Ze hadden geen jas aan, ze hadden elk een camera in de hand en sprongen in het rond, het leek alsof ze probeerden een foto van elkaar te maken terwijl ze in de lucht hingen.

Toen ze alle verschillende soorten koekjes hadden gebakken, legden ze die netjes op een schaal. De lerares deed het grote licht uit en stak de kaarsjes op de tafeltjes aan, ze zaten in groepjes bij elkaar, dronken sap en konden naar de grote tafel lopen om zoveel koekjes te pakken als ze maar wilden. Signe zat helemaal bij het raam met de radiator tegen haar bovenbeen. De donuts waren nog warm en zaten vol suiker, het kleefde als glitter rondom je mond, schitterde in de ogen van de anderen. Ze keek naar de lerares, er glansden gouden draden in haar haar en Signe kreeg de slappe lach van een mop die een van de jongens aan het tafeltje naast haar vertelde, ook al had ze hem al eerder gehoord. Ze viel van haar stoel en bleef op de grond liggen schateren.

Toen ging de deur open, het was haar broer samen met de anderen van de fotogroep, ze kwamen foto's maken, Henning was er ook bij, ze praatten hard. Een van de jongens deed het grote licht aan en ze aten alle koekjes op die over waren. Daarna maakten ze een paar foto's van de hele bakkersgroep bij elkaar. Ze moesten zich haasten om af te wassen en op te ruimen, voordat de volgende groep zou komen. Signe dacht aan de foto die Henning van haar alleen had genomen. Ze hoopte dat die mooi zou worden. Ze vroeg zich af wat hij ermee wilde. Of hij gewoon voor de muurkrant was of dat hij hem zelf zou houden. Ze zag Henning voor zich op zijn kamer thuis in het huis naast het hunne, hoe hij naar haar foto keek en aan haar dacht. Dat hij haar mooi vond.

In de batikgroep hadden ze de oude leraar handarbeid die alles zo langzaam deed. Ze moesten bij het mengen van de kleuren met elkaar samenwerken. Het ging zo traag en de anderen waren zo onnauwkeurig, ze kreeg er bijna pijn in haar hoofd van, zij die nooit ziek was. Het was alleen dat ze het zelf veel beter en sneller kon. Signe wilde haar stof lila en blauw verven. Ze wilde er een tas van maken, zo eentje als ze in een weekblad had gezien.

In de bus naar huis zat ze naast Inga. Inga was de hele dag aan het pottenbakken geweest. Ze zeiden niets, leunden slechts met hun hoofd tegen de stoel en keken elkaar glimlachend aan, toen keken ze weer recht voor zich uit. Het was donker, het was al twee uur geweest. We passen goed bij elkaar als vriendinnen, dacht Signe. Ergens achter in de bus hoorde ze iemand haar naam roepen. Ze kwam half overeind en draaide zich om. Het waren Henning en twee anderen. Henning hield een foto omhoog, de beide anderen lachten.

'Wat is er?' vroeg Signe.

'Kom maar eens naar die engelenfoto kijken', zei de een. Ze grinnikten weer. Signe bedacht dat ze er waarschijnlijk geen idee van hadden hoe stom jongens waren als ze grinnikten. Ze liep naar achteren. Ze strekte haar hand uit naar de foto, maar Henning hield hem nog hoger, zodat ze er niet bij kon. Daar hield hij hem stil, zodat ze hem kon zien. Het was de foto die hij in het huishoudkundelokaal van haar had gemaakt, toen de rest van de fotogroep al weg was. Ze glimlachte, het was een mooie glimlach, vond Signe, alsof hij alleen maar voor Henning bedoeld was. Maar achter haar was een hand te zien die een bakvorm omhoog hield, een grote, glanzende ring, zo gehouden dat het eruitzag als een aureool. Dat had ze niet gemerkt.

'Lief, klein engeltje', zei Henning en hij keek haar met zijn hoofd schuin lachend aan.

'Wacht maar af jij', zei Signe.

'Ik doe niet anders dan op je wachten', zei Henning lachend en de twee anderen lachten ook.

Signe ging terug naar haar stoel, het leek of Inga sliep. De bus was bijna bij de brug, ze zouden nu gauw thuis zijn. Voor hen reed de bus die enkele tientallen kilometers langs de rivier moest, helemaal tot waar de weg naar de hut afboog. Degenen die daarin zaten moesten nog bijna een uur. Signe bedacht dat ze geluk had dat ze bij de brug met de winkel, het dorpshuis, de bioscoop en de club woonde, ze had geluk dat zowel Inga als de school zo dichtbij was.

S igne dacht aan haar broer met die lange, gele hengel, het hele landschap veranderde in strepen en lijnen als ze daaraan dacht, en haar broer stond er middenin, stond rechtop te midden van die liggende strepen, als een boom. Maar er waren geen bomen. Alleen bosjes, struiken, mos en heide. De beek, die stil tussen de stenen door stroomde. En wit zand.

Toen ze de bocht om kwam zag ze dat de balkondeur op de eerste verdieping openstond, het was net een zwart gat in het witte huis en de kerstster hing zomaar in de lucht heen en weer te bengelen. De hond was loops, die had vast de deur van het balkon open weten te krijgen en was naar beneden in de sneeuw gesprongen. Stel je voor dat ze gewond was, of dood. Toen ze dichterbij kwam, zag ze sporen in de sneeuw. Zo te zien was het goed afgelopen, ze zag smalle, lichte afdrukken van haar poten en een geel plasplekje in de sneeuwwal bij de weg. Ze liep naar het huis. Ze vroeg zich af waar haar broer was, ze had hem niet in de bus gezien. Ze ging naar binnen. Binnen was het net zo koud als buiten, de deur moest al een hele tijd hebben opengestaan. Ze liep met haar schoenen aan naar de kamer en deed hem dicht. Toen trok ze in de gang haar schoenen uit en ging naar beneden naar haar kamertje, deed ook die deur dicht, het was hier warmer, ze zette de radio aan en ging met haar jack aan op haar bed zitten, trok het dekbed over haar benen. Er was een uitzending met volksmuziek en kort daarna zou *Tijd voor een boek* beginnen.

Het laatste stuk naar het Sommervann hadden ze gehold. Het had er heel anders uitgezien dan Signe zich had voorgesteld, het was kleiner. Ze liepen eromheen en visten op alle plekken die haar vader aanwees. Haar broer had een van de haakjes verloren en daarop had haar vader de hengel naar zich toe gerukt en was er iets losgeraakt aan het molentje, zodat haar broer hem niet meer kon gebruiken. Haar vader had geschreeuwd en met de hengel op een steen geslagen, zodat het molentje helemaal scheef was gaan zitten en er butsen in waren gekomen, en haar broer moest huilen. Signe had hem haar werphengel gegeven en had zelf de lange, gele gebruikt. Ze hadden niet één keer beet gehad. Er zijn hier mensen geweest, had haar vader gezegd, ze hebben het meer leeg gevist. Vast een paar Samen, die hier met een trekker heen gereden zijn en het net dwars door het meer hebben getrokken. Dat mocht niet, dat wist ze. Signe luisterde of ze het geluid van een motor kon horen, maar ze hoorde niets, het was stil, veel te stil, op de breipennen van haar moeder na. En hoewel er geen wind was, hadden de wolken toch vaart, gejaagd gleden ze recht boven hen langs de hemel, alsof je stilstond in iets wat een enorme snelheid had.

Ze keek naar haar kamer: het roze met lila gebloemde behang, het kastje met haar bureautje en alle brieven in het laatje bovenin. In de hoek bij het raam stond een witte boekenkast met al haar beeldjes, hondjes en kinderfiguurtjes van porselein, ze had ze in groepjes bij elkaar gezet, zodat ze met elkaar konden praten. Onder het raam stond haar stereo-installatie met haar pick-up en de radio. Als ze zich in haar bed naar voren boog kon ze het huis van Henning zien, zag ze het raam van zijn kamer. Er brandde geen licht, zo te zien was hij nog niet thuis.

Ze keek haar eigen kamer weer rond. Naast de deur hing een adventskalender. Zo eentje met chocolaatjes erin. Haar broer had de zijne allemaal al opgegeten, dat deed hij altijd een van de eerste dagen en dan probeerde hij die van haar te pakken te krijgen. Hij was er erg handig in om de deurtjes open te maken, de chocolaatjes eruit te halen en de deurtjes weer dicht te doen zonder dat het te zien was. Vorig jaar had hij haar kalender achterstevoren leeggegeten, hij was met kerstavond begonnen. Toen ze het had ontdekt, hadden ze ruzie gekregen, ze had de brief weten te bemachtigen die hij van een meisje uit de stad had gekregen, en die door de wc gespoeld.

Het programma met volksmuziek was afgelopen, nu kwam er nieuws. Ze dacht aan alles wat ze hoorde, vroeg zich af wat ermee gebeurde, met alle woorden die haar hoofd binnenkwamen en die ze zich niet herinnerde. Misschien was het met woorden net als met het noorderlicht, dat ze ergens anders heen gingen, misschien ergens in de bergen, een onzichtbaar gebied waar alle gebruikte taal huisde. Ze stelde zich voor hoe het zou zijn om dat gebied binnen te gaan, een cirkel van geluid, stemmen, woorden, je in dat stille gebergte te bevinden en plotseling dat geluid binnen te komen zonder te zien waar het ophield. Toen schoten haar die ronde omheiningen te binnen die de Samen gebruikten als de rendieren gemerkt moesten worden, ze stelde zich voor dat de woorden in een dergelijke omheining waren, vanbuiten zag het er volkomen leeg uit, je zag het al van verre, een grote kring, maar hoe verder je erin kwam, des te harder werd het geluid, en het werd er steeds voller.

Tijd voor een boek begon. Ze ging naar de kalender en haalde er het chocolaatje van die dag uit, ze liep weer terug naar haar bed. Ze zou er net zo lang mee doen tot het programma was afgelopen, ze zou er heel kleine stukjes van afknagen, net als een muis.

Haar vader pakte met zijn vork een aardappel en haalde de schil eraf, hij legde hem op het schoteltje, toen nam hij nog een aardappel. Ook voor het eten hadden ze met elkaar gepraat, Signe had hun stemmen vanuit haar kamer gehoord, het doordringende gebrom van haar vader en het kortaf klinkende, heldere stemgeluid van haar moeder.

'Het was leuk op school vandaag', zei Signe. 'We hebben donuts gebakken, dat is eigenlijk heel makkelijk.'

Haar vader keek haar aan. Ze wist niet of hij in een goede of een slechte bui was.

'Ja, Signe', zei hij, hij keek weer naar zijn aardappel. 'Koekjes bakken is niet zo moeilijk, het gaat er maar om dat je er de tijd voor neemt en er zin in hebt.'

Haar moeder slaakte een zucht en keek zonder iets te zeggen naar haar vader.

'Ik zat in de groep die de muurkrant heeft gemaakt', zei haar broer met volle mond.

'Zijn de foto's mooi geworden?' vroeg Signe.

Hij antwoordde niet. Niemand zei iets, ze gingen door met eten, gebakken kuit, gemengde groenten, aardappelen, de gele boter. De hond begon onder tafel te kwispelen, sloeg met haar staart op de grond. Signe aaide haar met haar voet, het leek erop dat ze snel klaar zouden zijn met eten.

Plotseling tilde haar moeder haar bord op en smeet het op de grond. Signe schrok. Het bord brak, de doperwten rolden helemaal tot bij de hondenbak.

'Waarom moet ik de tijd nemen om alles voor de kerst voor te bereiden als niemand anders dat doet?' schreeuwde haar moeder naar haar vader. Ze stond op, haar stoel schraapte over de grond.

Signe keek naar haar. Ze zag bleek, haar schouders schokten, ze maakte met haar hand een slaand gebaar in de lucht, haar mond stond open, maar er kwam niets meer.

'Kalm nu maar', zei haar vader.

Signe keek naar hem, hij strekte een arm naar haar moeder uit. Ze sloeg ernaar.

'Ik ben kalm als ik dat wil', gilde ze.

Signe zag dat de tranen over haar wangen liepen.

'Ga in ieder geval zitten, zodat we met elkaar kunnen praten', zei haar vader.

'Alles is mijn verantwoording, of we kerst vieren of niet, of we iets bakken of niet,' zei haar moeder, 'het is net of het jullie niets aangaat.'

Signe keek naar haar broer. Die keek uit het raam. Daar is nu toch niets te zien, dacht Signe. Het is immers donker, het is immers winter. Idioot. Ze keek weer naar haar moeder. Die beefde en huilde nu nog harder.

'Mama,' zei Signe, 'dat is niet waar. Ik hou heel veel van je, mama, ik wil je graag helpen.'

Haar moeder staarde naar de tafel, ze stond achter haar stoel, hield die vast en staarde naar de tafel.

'Ga zitten', zei haar vader. Hij was rustig en beslist.

Haar moeder slaakte een zucht en ging zitten, veegde met haar hand haar ogen en haar neus af, ze trok het plakkertje van haar pakje shag open en begon een vloeitje met shag te vullen. Ze snikte en haar handen trilden zo dat de shag ernaast viel.

Haar vader had ooit verteld dat haar moeder een paar maal had geprobeerd om hen te verlaten toen Signe en haar broer nog klein waren. Ze was met de bus vertrokken, maar verder dan het vliegveld was ze niet gekomen en hij had haar weer moeten ophalen. Signe dacht aan het vliegveld op de grote vlakte vlak bij Rusland. Het was een militair vliegterrein met overal soldaten en groen geschilderde jeeps en tanks.

Toen ze op de terugweg de laatste keer rustten, trilden haar knieën zo dat ze op de grond moest gaan zitten met haar benen recht voor zich uit. Haar vader haalde de kaart weer tevoorschijn, keek erop, hij zei niets, de chocolade was op. Signe draaide zich om en keek naar haar moeder, ze wilde naar haar glimlachen, zodat ze het gevoel zou hebben dat ze erbij hoorde. Haar moeder keek strak naar het achterhoofd van haar vader. Daar hoef je toch niet boos om te worden, dacht Signe, we zijn er nu toch bijna. Ze wilde dat haar moeder een beetje vrolijk kon zijn, misschien zou dat haar vader ook een beetje opvrolijken. Signe keek naar haar vader en glimlachte, hij stopte de kaart weer in de zak op zijn bovenbeen. Haar broer droeg de vis die hij die ochtend had gevangen aan een stok achter op de rugzak, hij stond eroverheen gebogen om te kijken of hij goed vastzat, het was de enige vangst die dag.

'Als we bij de hut zijn kunnen we hem bakken,' zei hij en hij keek naar haar vader, 'dan hebben we iets voor het avondeten.'

Haar vader keek hem aan, hij knikte ernstig. De hond kwam kwispelend naar hen toe. Signe aaide haar, ze sprak in pieptaal en de hond piepte terug. Nu is het niet ver meer, piepte Signe. En ze zag hoe blij de hond werd, ze piepte dat ze zich erop verheugde weer terug te komen bij de hut.

'Wat een geluk dat we dit samen mogen beleven', had haar vader gezegd en hen recht aangekeken, hij had met zijn donkere ogen ook haar moeder aangekeken, die had teruggestaard.

Haar broer begon in een zekere regelmaat met zijn vingers tegen elkaar te tikken, er ontstond een ritme, hij deed het onder tafel, maar je kon het nog net horen. Signe zou willen dat hij daarmee ophield, voordat haar vader boos werd. Ze legde haar eigen handen vlak op haar bovenbenen, roerloos, als om de bewegingen van haar broer op te heffen, ze voelde door haar broek heen hoe koud ze waren. Ze keek naar de kalender met tekeningen van kinderen met lang, blond haar en ouderwetse kleren. Op de tekening van december stonden meisjes in rode jurken die op krukjes voor een open haard zaten, ze bakten appelen aan lange spiesen boven de vlammen en het licht van het vuur scheen op hun gezicht. Nog vier dagen, dan was het kerst. Ze dacht aan de neef van Inga. Nu zou hij met de auto moeten komen en een stukje verderop moeten blijven wachten, dan zouden ze een ritje maken, helemaal alleen, en hij zou muziek draaien, hij zou haar hand vasthouden en alleen loslaten als hij moest schakelen, ze zouden de heuvel op rijden en naar de rivier en de hemel kijken, samen in de auto zitten, een fantastisch licht zien.

'Ik ben een volwassen mens', zei haar vader, 'en jij bent een volwassen mens. We zijn de ouders van deze kinderen. Nu moeten we even kalm aan doen.'

Haar vader haalde adem en keek haar moeder aan. Haar moeder keek naar zichzelf in het raam terwijl ze haar shagje aanstak, ze blies de rook uit, recht voor zich over tafel. Alledrie wachtten ze erop dat ze zou beginnen te praten, maar ze zei niets. Toen was het alsof er iets in haar vader knapte.

'Ja, rook jij maar', zei hij met die doordringende, zachte stem. 'Rook en geniet, loop zonder bh rond en wees vrij. Ga naar je werk en praat met mensen en glimlach en lach. Ik zie je weer als je terugkomt. Ik zie dat ontevreden gezicht van je, je zwijgzaamheid, die strakke mond.'

Zijn stem werd nog zachter, hij fluisterde bijna.

'Niets hier is goed genoeg voor je, hè? Niets is goed genoeg.'

Toen riep hij met luide stem: 'Het is niet goed genoeg. Ik ben niet goed genoeg. Mijn werk is niet goed genoeg. Het eten dat ik klaarmaak is niet goed genoeg. Ik raak je niet aan zoals je wilt, ik praat niet met je zoals je wilt, ik draag niet de kleren die jij wilt dat ik draag. Wil je daarom niet met me praten?'

'Hou nou op', zei haar moeder zachtjes.

Signe keek naar haar, ze leek weer gekalmeerd. Vermoeid, misschien van die zaak, dacht Signe, hadden ze de kinderen opgehaald? Misschien was dat vandaag gebeurd, maar een paar uur daarvoor?

'Ophouden?' zei haar vader. 'Moet ik ophouden? Wie moet hier ophouden?'

Signe keek naar haar vader terwijl hij praatte. Zijn gezicht zag rood. Zijn mond leek zo zacht, zijn lippen leken zo zacht. Alsof alle mogelijke woorden tussen die lippen door naar buiten konden komen. Alle mogelijke.

'Je houdt me alleen maar voor de gek', zei haar vader. 'Maar nu is het afgelopen. Nu is het voorbij. Ik pik het niet langer.'

Hij zweeg en keek naar haar moeder. Signe zag dat zijn haar alle kanten op stond. Het was alsof hij zijn hoofd met zo'n ruk had bewogen dat het in de war was geraakt, maar hij was doodstil blijven zitten.

'Je komt maar met me praten', zei hij. 'Ik weet dat er met mij te praten valt. Andere mensen praten met me en hebben daar iets aan. Op het werk praat ik met mensen en er komen zelfs mensen naar me toe die zeggen dat het helpt, dat het hen goed doet om met mij te praten.'

Hij lachte even. Toen keek hij naar haar moeder en zweeg, zijn blik was hard, zijn ogen leken twee van die steentjes die aan de voet van een berg liggen. Haar moeder staarde terug, ze leek razend, maar ze zei niets.

'Ben ik iemand met wie je kunt praten?'

Haar vader keek plotseling naar Signe. Signe schrok. Toen keek hij naar haar broer. Die keek snel op van het tafelblad.

'Jaha', zei hij.

Hij kuchte, toen zei hij het nog eens: 'Je kunt goed met jou praten, papa.'

Haar vader keek naar Signe.

'Dat vind ik ook,' zei ze, 'ik vind dat je fijn met jou kunt praten, papa.'

Haar vader keek naar haar moeder. Signe keek ook naar haar moeder, ze wachtte erop dat die iets zou zeggen. Haar moeder keek naar haar vader.

'Dat is fijn', zei haar moeder ten slotte.

Ze sprak zachtjes, haar woorden klonken helder en duidelijk.

'Dat is uitstekend. Iedereen in dit gezin redt zich prima, alleen ik ben tot last. Maar,' zei haar moeder en ze zweeg even, 'maar ik zal jullie niet langer lastigvallen.'

Ze sloeg even zacht met haar hand op tafel.

'Jullie zullen nauwelijks merken dat ik er ben. Of misschien is het het beste dat ik ervandoor ga, aangezien ik zoveel overlast veroorzaak.'

Haar moeder keek naar Signe. Signe wilde niet dat haar

moeder weg zou gaan, maar als ze dat zou zeggen dan zou ze gaan huilen en ze wilde niet huilen.

'Nu hou je je waffel', zei haar vader tegen haar moeder. Hij stond zo plotseling op dat zijn stoel omviel. 'Nu hou je verdomme je waffel.'

Het werd mistig. Plotseling werd het mistig en ze liepen net een stukje uit elkaar toen het gebeurde, haar vader had kort daarvoor nog gezegd dat ze vlak bij de hut waren, maar ze kon de anderen niet meer zien. Het was alsof de mist zo uit de bodem oprees, alsof hij in de grond huisde en plotseling tevoorschijn kwam. Eerst was de zon verdwenen en toen kwam de mist. Vaag zag ze haar broer een stukje voor zich, de vis die achter aan zijn rugzak bungelde, ze liep achter hem aan. Haar rugzak schuurde aan een kant, ze had het riempje op het bot van haar schouder geschoven, ze moest het daar met haar hand vasthouden. Toen werd de mist nog dichter en zag ze haar broer niet meer. Ze riep hem.

'Wacht op me!'

Ze riep hem een paar keer. Ze liepen over een grote vlakte, een tamelijk droog moeras. In de graspollen bloeiden bergframbozen, witte bloemetjes met een gouden hartje, en groen mos, donkerrode heide, bruine takjes in de heide. Ze ging op haar hurken zitten en keek ernaar, ieder takje was net een boompje, dacht ze, ze zag een reusachtig bos voor zich en zijzelf piepklein in dat bos van hei, en als ze opstond was ze weer groot en kwam ze boven de mist uit en dan kon ze eroverheen kijken. Ze kwam overeind, maar het hielp niet. Ze riep de naam van haar broer, ze riep haar moeder en haar vader. Toen was plotseling de hond er. Ze sprong om haar heen, ze was zo licht. Ze kwispelde met haar staart tegen Signes been, Signe ging zitten en hield haar vast, hield haar heel stevig vast, maar de hond bleef kwispelen. Signe bleef zitten. Ze stelde zich voor dat ze haar misschien nooit meer zouden vinden. Het begon te regenen. Ze pakte haar regenjack en -broek uit het bovenvakje van de rugzak, ze waren blauw, ze trok die over haar kleren heen aan, de dunne plastic jekker zat strak over haar gewatteerde jack. Ze trok de capuchon over haar hoofd, het water stroomde langs haar brillenglazen. Het was net alsof je in de auto zat en door de voorruit naar buiten keek. Ze wilde dat ze in een auto zat, dat ze met een deken over zich heen op de achterbank van een warme auto lag, zoals wanneer ze een heel verre tocht maakten, door Finland, dat ze doodstil in die warmte kon blijven liggen, dat ze maar door bleven rijden en nooit aankwamen.

Het hield niet op. Ze zag de mond van haar vader bewegen, de grijze rook van de sigaret van haar moeder.

'Dit gaat niet langer', zei haar vader. 'Dit gaat gewoon niet langer.'

De hond was bij haar blijven zitten, ze had het zakje van haar regenkleding over haar kop gelegd, zodat die niet nat werd en ze geen water in haar ogen kreeg, ze had haar arm om haar heen geslagen, haar dicht tegen zich aan gedrukt. Als ze haar zo met die lieve ogen aankeek was het net alsof ze een betoverd mens was, ze stelde zich voor dat ze eigenlijk haar zuster was en dat alleen zij dat wist. De regen was koud aan haar handen. Nu zoeken ze me, dacht ze. Ze zag hen voor zich, haar moeder en haar vader, hoe vertwijfeld ze waren omdat ze haar niet konden vinden, hoe zowel haar moeder als haar vader huilde. Ze dacht aan haar broer. Die had ook in zijn eentje gelopen. Misschien was hij nu ook alleen, had ze gedacht. En hij had geen hond. Misschien was hij helemaal alleen. Signe bedacht hoe bang hij zou zijn en dat er niemand was om hem gerust te stellen.

Ze herinnerde zich niet hoe ze elkaar weer hadden gevonden. Misschien was de mist opgetrokken en hadden ze weer kunnen zien. Ze zag voor zich hoe de mist oploste, zoals wanneer je frisse lucht in een kamer liet waar veel gerookt was, langzamerhand werd alles weer duidelijk en konden ze elkaar weer zien, ver weg, zij en haar broer elk apart en een stuk verderop haar ouders samen. Misschien waren ze op elkaar toe gerend, lachend en huilend tegelijk, blij dat ze er allemaal weer waren. Ze herinnerde het zich niet.

Haar vader keek haar aan: 'Nu, Signe,' zei hij, 'nu is alles uitgesproken, zodat niemand bang hoeft te zijn. Nu weten we waar we aan toe zijn.'

'Ja,' zei Signe, 'dat is goed, papa.'

Hij ging naar de kamer en zette de tv aan, ze hoorde de nieuwslezer goedenavond zeggen. Haar broer ging naar beneden. Haar moeder en Signe bleven nog aan tafel zitten, haar moeder keek naar Signe. Het was moeilijk om zich te bewegen als haar moeder zo naar haar keek zonder iets te zeggen, zonder dat haar ogen iets zeiden, het was alsof ze wilden dat Signe zou gaan praten. Toen stond haar moeder op en liep de keuken uit, Signe hoorde haar de trap af lopen en beneden de badkamer binnengaan. Mama, wilde ze haar naroepen. Maar ze wist niet wat ze moest zeggen.

Ze ging naar de kamer, zag haar vader voorovergeleund op het krukje tv zitten kijken, met grote, wijd opengesperde ogen. Ze sprak zachtjes tegen de hond, vroeg of ze naar buiten wilde. Ze kwam overeind voordat Signe uitgesproken was.

De kou was als een muur, tintelend. Signe deed de buitendeur achter zich dicht, ze hield ervan die eerste koude teug buitenlucht in te ademen, hem door haar hele lichaam naar beneden te dwingen. Ze liet de hond voor zich uit lopen, die trok aan de riem. Ze had niets over de open balkondeur gezegd, het was misschien toch al te laat, dat hoopte ze, dan kregen ze jongen.

Ze herinnerde zich niet wat haar vader aan tafel had gezegd. Hij kon uren achter elkaar praten zonder dat zij zich kon herinneren waar hij het over had gehad, ook al had ze de hele tijd zitten luisteren.

De hond trok aan de riem, ze wilde steeds verder naar nieuwe plasplaatsen waaraan ze kon ruiken en daar ging ze dan met haar poten wijd uit elkaar zitten om er een paar druppels uit te persen. Signe klakte met haar tong en toen holden ze samen een stuk, het was heerlijk om door die ijzige lucht te rennen, ze ademde hem met open mond in, zodat de kou in haar hals schuurde, en dan kwam haar adem weer naar buiten en besloeg haar bril, ze stelde zich voor dat ze in een vliegtuig zat en recht de wolken in dook. We zouden zelf koekjes kunnen bakken, dacht ze. Zij en haar broer zouden kerstkoekjes kunnen bakken, ze had de recepten van de bakles in haar rugzak, de lerares had ze gekopieerd. Het waren zulke eenvoudige recepten dat hen dat vast wel zou lukken.

Ze sloeg de hoek om en liep de heuvel af, volgde de weg langs de inrichting. Morgenavond zouden ze daar naar de kerstviering gaan, want morgen was het eenentwintig december, de donkerste dag van het jaar. Hoewel, veel donkerder dan vandaag kan het nauwelijks worden, dacht Signe. Ze keek omhoog naar de hemel, die was bezaaid met piepkleine, witte sterretjes. Ze keek naar de inrichting. Er stond iemand voor het raam. Het was het meisje met wie Signe had geprobeerd te praten. Ze stond naar Signe te kijken, die langsliep met de hond. Signe bedacht dat ze blij was dat zij daar niet woonde, ze was blij dat ze een vader en een moeder en een broer en een hond had, dat ze in een huis woonden en een gezin waren, nog een paar dagen dan was het kerst en dan zouden ze rollade eten en marsepein en elkaar cadeautjes geven, ze zouden een paar uur lang pakjes uitdelen en iedereen moest wachten met het volgende pakje tot ze hadden gezien wat de vorige had gekregen.

Waarom kijkt ze naar me? dacht Signe. Ze hoeft toch niet zo naar me te kijken. Het is net alsof ze iets weet, dacht Signe. Het meisje was van Samische afkomst, dat hoorde je aan haar naam, misschien deed ze wel aan tovenarij, misschien had ze een vloek over Signe en haar familie uitgesproken. Maar ik heb God, dacht Signe, en Hij is de sterkste macht van allemaal, Hij beschermt me. De hond rukte aan de riem, ze wilde verder, een stukje verderop in het huis tegenover Inga woonden twee reuen, misschien wilde ze daar wel heen. Signe trok haar terug en keerde om.

'Kom,' zei ze tegen de hond, 'we gaan naar huis.'

Ze haastte zich. Ten slotte kon ze het niet laten, ze keek nog eens naar de inrichting. Het meisje was verdwenen.

Het is mijn schuld, dacht Signe. Het meisje had vast begrepen dat Signe vanwege haar was omgekeerd en dat had haar verdrietig gemaakt. Ze bedacht dat ze de volgende dag met haar zou praten, nog een poging zou wagen. Signe was immers de sterkste van hen tweeën, het was haar verantwoording hoe het zou gaan, of ze met elkaar in contact kwamen, het was haar taak om het meisje tegemoet te komen en ervoor te zorgen dat zij zich op haar gemak voelde. Misschien konden ze wel vriendinnen worden, misschien zou dat wel fijn zijn voor dat meisje, zou ze beter worden als ze een gezonde vriendin had om mee te praten. Misschien kan ik haar genezen, dacht Signe. Voor de bocht naar de weg waaraan hun huis lag, klom ze de heuvel op. Daarnaast zag ze de schijnwerper bij de grote verhoogde laadplaats van de melkfabriek, die was leeg, boven in de grote, gele muur zat een raampje. Plotseling was ze bang dat daar iets zou verschijnen. Ik zou God om kracht kunnen bidden om haar te genezen, zoals Jezus met de lamme had gedaan. Signe dacht aan de vrouw die gezond was geworden nadat ze Jezus' mantel had aangeraakt, alleen omdat haar geloof zo sterk was. Signe stelde zich voor hoe alleen het meisje zich in de inrichting moest voelen. Ze zou willen dat het meisje zich niet zo alleen zou voelen. Ze zou bij haar blijven, 's nachts bij haar bed blijven zitten, in een donker hoekje met een wollen deken over haar benen zou ze naar haar zitten kijken terwijl zij in haar bed lag te slapen, ze zou bij haar zijn als ze wakker werd van boze dromen, ze zou haar hand vasthouden en haar voorlezen uit een boek.

Ze sloeg de hoek om en zag het huis, ze zag het licht vanuit de vijf ramen op de eerste verdieping, de adventsster, die zo mooi voor het middelste ervan scheen, een warm, gelig licht. De rode velours gordijnen glansden donker, voor de andere ramen hingen lampjes, lampjes van goud met robijnen en smaragden, dacht Signe, maar ze wist dat ze alleen maar goudkleurig waren met glas. Wie zijn we zonder dromen? dacht ze. Dat zei haar vader wel eens tegen haar als ze in de bergen waren en over de grote vlakte stonden uit te kijken. Wie zijn we zonder dromen, Signe? Ze dacht aan het blauw van zijn ogen op zo'n moment, als ze straalden. Hier ben ik vrij, zei hij dan. Als ik hier in de bergen ben met jullie en de hond en de hengel, als ik hier zo sta en ver kan kijken, dan ben ik gelukkig.

De hond holde door de kamer naar de keuken, ze hoorde haar water drinken. Ze hing haar jas op en liep de gang in, legde de bruine leren riem op het lage kastje naast de telefoon. Ze bleef stil staan luisteren, in de kamer stond de tv aan, het krakende geluid van leer, dat was waarschijnlijk haar vader, die zich vooroverboog in zijn stoel, ze zag haar moeder voor zich op de bank met een opengeslagen boek op haar schoot en een sigaret in haar hand, haar ogen op het scherm gericht. Ze hoorde haar broer in de badkamer de kraan opendraaien, hij poetste zijn tanden. Signe keek in de spiegel boven het kastje, ze bedacht dat ze haar brief kon afmaken, ze kon over de handarbeidles schrijven.

Toen werd de kraan beneden in de badkamer dichtgedraaid en vlak daarop kwam haar moeder naar buiten, ze zag er in de spiegel zo anders uit. Signe draaide zich om. Haar moeder had een rode jurk aan en een grote, lila sjaal om, ze droeg schoenen met hoge hakken. Ze keek Signe glimlachend aan, ze had lippenstift op, haar wangen waren rood, boven haar ogen was het donkerblauw.

'Ben ik niet mooi?' vroeg ze en ze hief haar handen naar haar haar, het schitterde in haar armband, haar haar was geborsteld en opgekapt, het was één grote, donkere, glanzende bos. Signe knikte. Haar moeder kwam de trap op, haar tegemoet, Signe rook dat ze parfum op had, ze hoorde dat haar vader in de kamer overeind kwam, ze hoorde zijn voetstappen over het kleed, ze keek op, hij stond met zijn onderarmen op de trapleuning geleund, voorovergebogen.

Signe zag dat hij naar haar moeder keek, die bekeek zichzelf in de spiegel, streek haar jurk glad, drukte haar haar op en zo, met haar armen opgeheven, keek ze omhoog naar haar vader. Signe zag hem kijken, hij bekeek haar moeder van top tot teen, zijn blik gleed langs haar lichaam, hij glimlachte met scheve mond en er verscheen iets in zijn ogen, een schittering.

'Zou jij geen beslag voor peperkoekjes maken?' vroeg hij.

Signe wist niet of hij het meende of dat hij maar een grapje maakte. Haar moeder liet haar haar los en maakte een wanhopig gebaar, het leek alsof ze heel sterk was in haar armen, ze was zo mooi.

'Ik denk dat daar waar ik naartoe ga, de peperkoekjes al klaar zijn', zei ze en ze keek haar vader vanonder haar pony aan, toen glimlachte ze weer.

De ogen van haar vader versmalden zich, Signe wist niet of hij kwaad was, dat glimlachje bij zijn mond was er nog steeds. Haar moeder boog zich voorover en trok haar schoenen uit, ze legde ze op de hondenriem op het kastje. Er hing een tasje aan de trapleuning, haar moeder trok haar mantel aan en pakte haar laarsjes, ze trok ze aan, deed de ritssluiting aan de binnenkant van haar voeten dicht. Toen nam ze haar mooie schoenen in haar hand, zo hield ze ze vast terwijl ze omhoog keek naar haar vader, in de andere hand had ze het tasje, de riem hing dansend tegen haar laarsjes te bungelen, lange tijd keken ze elkaar aan, toen zei haar moeder 'doei' tegen Signe, stapte de hal in tussen de laarzen door, deed de deur open en ging weg.

Signe hoorde haar voetstappen langs de muur, naar de auto, het geluid toen ze het portier dichtsloeg en toen de motor die startte. Signe keek op naar haar vader.

'Waar gaat mama naartoe?' vroeg ze.

'Ze zei dat ze naar een soort kerstfeest van haar werk ging.'

'Wat bedoel je, is dat dan niet zo?'

Haar vader keek haar aan met dat glimlachje dat maar niet verdween, hij richtte zich op en sloeg zijn armen over elkaar, waarom antwoordde hij niet?

'Gaat ze niet naar iemand van haar werk dan?' vroeg Signe.

'Ja, vast wel,' zei hij.

Hij bleef even naar haar staan kijken, alsof ze net zo iemand was als haar moeder, Signe wilde zeggen dat zij niet zo was, zij was niet zo iemand, maar ze wist niet zeker wat voor iemand haar vader bedoelde, alleen dat zij in ieder geval niet zo was. Toen draaide haar vader zich om en liep de keuken in, Signe hoorde hem de zak hondenvoer pakken, het geluid van de droge brokken die in de schaal rammelden en de hondenpoten die over de vloer trippelden. Toen draaide hij de kraan open, misschien gaf hij haar meteen fris water, ze hoorde dat hij begon te fluiten, een van de nummers van de plaat van Louis Armstrong die hij al voor zijn trouwen had.

D e radio stond hard. Signe hoorde haar vader de tafel voor
het ontbijt dekken. De maaltijden samen waren belangrijk, zodat ze het gevoel hadden dat ze bij elkaar hoorden. Signe
kleedde zich aan en ging naar boven. Zij en haar vader waren de
enigen die al op waren. Hij had de vleeswaren op tafel gezet en
de komkommer en de kaas. Signe hielp hem de dingen te pakken die nog ontbraken, de honing en de levertraan. Ze ging
zitten en pakte een boterham. De hond lag onder tafel. Signe
zette haar voeten op haar vacht. Haar vader stak de adventskaarsen aan. Ze keken elkaar aan, ze glimlachte naar hem, hij
glimlachte ernstig terug. Niemand op de hele wereld had zo'n
vader als zij.

'Wat is het donker, hè', zei ze.

'Het is de donkerste dag', zei hij.

Ze wist dat hij dat zou zeggen. Ze keken allebei uit het raam,
maar er was niets te zien, alleen de weerschijn van de vier kaarsen,
de keuken, hun eigen gezicht.

Signe hoorde haar broer de trap op komen. Hij ging zonder
iets te zeggen zitten, zijn haar stond alle kanten op. Ze begonnen
te eten. Toen kwam haar moeder binnen. Haar ogen waren
gezwollen. Signe wist niet of het van de slaap kwam of omdat
ze gehuild had. Niemand zei iets, er was nieuws op de radio. Haar
moeder at een halve boterham met kaas. Signe keek naar haar, ze
had die donkerblauwe trui met de hoge col aan en een gladde,
glanzende sjaal in verschillende kleuren om.

'Was het een leuk feest?' vroeg Signe.

Haar moeder antwoordde niet, ze keek naar Signe, toen keek
ze naar haar vader alsof ze zich afvroeg wat die had verteld, ze
hield haar hand rond haar hals, streek ermee over de col. Signe
had haar niet thuis horen komen. Misschien hadden ze te veel

gedronken op het feest en hadden ze ruzie gekregen en was er gevochten, dacht ze.

'Moet je niet nog wat eten, mama?' vroeg ze. 'De ham is ontzettend lekker.'

Het was die grote, gerookte ham die werd gesneden terwijl ze bij de hoge, glazen toonbank stonden te wachten en toekeken. Haar moeder glimlachte flauwtjes naar haar en schudde haar hoofd, ze stond op en nam nog wat koffie, die ze met water aanlengde.

Toen ze klaar waren met eten, haalde haar vader de bijbel en het gebedenboek tevoorschijn. Haar moeder slaakte een zucht en opende haar pakje shag, ze pakte een vloeitje en begon te rollen. Haar vader had zijn hand vlak op de boeken gelegd, wachtte op haar moeder. Ze rolde langzaam en aandachtig, ze likte langs het vloeitje en plakte het vast, kneep de eindjes eraf. Toen stak ze haar shagje aan, Signe keek naar haar, haar moeder keek naar haar vader terwijl ze de rook uitblies, ze bleef hem aankijken daar in die grijze waas, met die rechte pony en dat haar dat in een rechte lijn onder haar oren hing, een harde stip midden in het blauw van haar ogen. Haar vader keek haar recht aan, het was alsof ze met hun ogen stilletjes dingen tegen elkaar zeiden, alsof ze langs sterke, dunne draden over en weer koude, scherpe voorwerpen zonden. Toen keek haar vader in het boek en begon voor te lezen.

Signe keek naar de hand van haar moeder, waarmee ze het shagje vasthield. Het was een mooie, smalle hand met duidelijk zichtbare aderen en lijnen, ze keek naar haar eigen handen, die leken zo kinderlijk zacht, helemaal niet sterk.

Ze keek naar de brandende kaarsen. De kandelaar stond voor het raam, je kon hem zien vanwaar Henning woonde. Ze wilde niet dat hij zou zien dat ze op een gewone woensdag de kaarsen aan hadden, ze had zin om de kandelaar meer naar het midden van de tafel te schuiven, maar dat kon ze niet doen zolang haar vader aan het voorlezen was, ze moest luisteren. Ze zou zo graag die kandelaar verplaatsen. Kon ze die kandelaar maar verplaatsen, dan zou alles goed zijn, maar dat ging niet.

'En Jezus zeide tot hem:,' zei haar vader, '"Ga heen, doe gij evenzo."' Hij sloeg het boek dicht. Ze vouwden hun handen, bogen hun hoofd. Eerst bad haar vader, toen haar moeder, toen haar broer en toen was Signe aan de beurt.

Ze bad dat het een fijne kerst zou worden, ze bad voor haar moeder met die moeilijke zaak op haar werk, ze bad voor het feest in de kerstnacht, ze bad voor de kinderen die ze op tv had gezien en die in een stad in een ander land alleen in een paar keten woonden. Haar vader pakte het gebedenboek en de bijbel bij elkaar en blies de kaarsen uit. Signe bad stil dat haar moeder met haar vader zou praten. Ze keek naar haar broer toen hij de keuken uit ging, hij zag eruit alsof hij honderd jaar had geslapen, zijn ogen leken bijna blind, dacht ze, als van een pasgeboren pup. Signe stond ook op en ging naar beneden naar de badkamer, ze poetste haar tanden. Ze waren vroeg, ze had nog tijd om op haar kamer een paar nummers te draaien voordat ze weg moest.

Ze stond met haar ogen dicht midden in haar kamer, het licht was uit en ze was omgeven door muziek, zo hard dat ze geen stemmen kon horen, dat ging alleen 's morgens als iedereen haast had. Ze hoorde dat het nummer naar het eind toe liep, ze stond stil en voelde dat er iets bijzonders met haar was, iets waardoor ze anders was, iets speciaals. Dat was God, ja, natuurlijk was dat God, ze was iets speciaals voor God, maar er was nog iets anders, iets wat nog niet zichtbaar was, maar wat in haar lag te wachten, gereed. Zij was de enige die daarvan afwist, dat er iets in haar klaarlag wat op een dag tevoorschijn zou komen en haar tot iets unieks zou maken, nu ja, het maakte haar nu al tot iets unieks, alleen wist niemand er iets van, alleen zij, en dat maakte haar triest, maar vooral blij. Ze hoefde immers alleen maar te wachten.

Er was een pauze tussen twee nummers. Signe hoorde het hoge geschetter van haar moeders stem, ze ging voor haar installatie zitten en keek haar platen door, ze had er zeven en een wat oudere cassette met opnamen van de Noorse toptien en van Dollie de Luxe.

Toen schoot haar het boek van Henning te binnen, ze deed het laatje open en pakte haar sieradenkistje, zag de foto van huid daaronder, de dunne, witte stof en die ene borst, ze zag dat de vrouw een kettinkje om had, een heel dun kettinkje met een piepklein gouden hartje. Signe deed haar sieradenkistje open en haalde de twee kleine doosjes eruit, ze zag de ballerina, die in een rokje van roze tule op één been stond, haar andere been recht achter zich gestrekt, ze draaide aan het sleuteltje zodat de melodie opklonk en de ballerina begon in het rond te draaien. Ze maakte een van de doosjes open en pakte het zakje met het gouden kettinkje met het hartje dat ze volgens haar moeder bij haar doop had gekregen, ze haalde het uit het zakje en hield het in haar hand, maakte het sluitinkje open en deed het om, het dunne kettinkje voelde koud aan in haar nek. Er klonken muziek van de installatie en tonen van de speeldoos en die geluiden waren niet synchroon. Ze werd er een beetje misselijk van, ze slikte, ze deed het sieradenkistje dicht en zette het op zijn plaats. Ze stond op en keek uit het raam, ze zag de auto van haar vader achteruit draaien en wegrijden, het schoot haar te binnen dat hij naar Kirkenes moest, naar een vergadering met de psychiater. Ze keek op de klok, het was al over achten, ver over, ze was helemaal de tijd vergeten. De bus ging om acht uur, maar misschien was hij laat, als ze de hele weg naar de halte holde zou ze het misschien nog halen, dat hoopte ze maar, het moest gewoon.

Ze rende de gang in en de trap op, greep haar jack, kon haar wanten niet vinden, stapte snel in haar laarzen. Waar ben ik mee bezig, dacht ze, waarom let ik niet beter op? Het was de tweede en laatste dag met handarbeid. Ze hoorde haar moeder in de keuken overeind komen, haar stoel schraapte over de vloer.

'Signe, ben je nog niet weg?' riep ze.

'Ik ga al. Doei!' riep Signe, ze zag de hond boven aan de trap zitten, die keek naar haar met haar lieve ogen, haar kop scheef.

Z e sloeg de hoek om, er stond niemand meer. De bus was al weg. Ze zou te laat komen. Had ze maar niet naar die muziek geluisterd, dacht ze. Het was net een droom geweest, alles was zo langzaam gegaan, alsof ze zich daar op haar kamer in iets taais had bewogen. De handarbeidles. Ze voelde de tranen komen, als twee streepjes in haar ogen, ze dacht aan dat akelig lange, rechte stuk langs de rivier naar school en ze had geen muts op en geen wanten aan en het waaide en hoe dan ook, het was te laat.

Achter haar verscheen het licht van koplampen. Ze draaide zich om. Het was de auto van haar moeder. Signe zwaaide met een arm, haar moeder remde en stopte. Signe holde om de auto heen en deed het portier open, ze boog zich naar voren en keek haar moeder aan. Ze had die rimpel tussen haar wenkbrauwen en haar donkere haar hing langs beide wangen in een punt, ze had haar handen op het stuur.

'Wat is er?' vroeg ze.

'De bus is al weg.'

Haar moeder slaakte een zucht en keek op haar horloge.

'Ik ben ook laat', zei ze. Ze vertelde dat ze een vergadering hadden die ochtend, die zou meteen beginnen en het was belangrijk dat ze er allemaal waren. 'Wat heb je zo lang gedaan?'

Signe wist niet wat ze moest zeggen. Haar moeder keek haar aan, Signe wist dat ze het haar eigen schuld vond dat ze te laat kwam.

'Jullie hebben nu toch handarbeid?' vroeg haar moeder.

Signe knikte, dat met de handarbeidles lag als een druk achter haar ogen en in haar hals, lag daar en werd steeds dikker.

'Maar dan is het toch niet zo erg,' zei haar moeder, 'dan mis je niets van de les. Stap in, dan kun je mee tot het centrum.'

Signe deed het portier helemaal open en stapte in, sloeg het portier weer dicht. Ze had geen schooltas om op haar schoot te zetten, alleen haar handen die uit de mouwen van haar jack staken, klein en grauw op haar bruine broek, ze reden langs de verlaten bushalte en langs de inrichting, die groot en plat en geel lag te schijnen.

Signe keek naar haar moeder, die recht voor zich op de weg keek. Ze dacht waarschijnlijk ergens over na, ze had die frons tussen haar ogen waarin haar gedachten huisden en waarschijnlijk draaiden die om die kinderen en het blauwe licht op de sneeuw en de politieagenten die ze naar buiten droegen.

Ze reden de tweede heuvel af. Haar moeder boog af naar de winkel, het gemeentehuis lag daarachter, ze remde en keek naar Signe, toen keek ze weer op haar horloge.

'Ik had je graag gebracht, meiske, maar ik moet die vergadering halen.'

Ze keek Signe aan en glimlachte met haar lippen op elkaar en haar hoofd schuin, haar ogen zeiden dat het haar speet. Signe keek terug, knikte en glimlachte ook, ze begreep dat die vergadering belangrijk was, het ging erom aan de zwakkeren te denken, zij die geen echt huis of thuis of familie hadden, die niemand hadden die op hen paste.

Signe deed het portier open, stapte uit en sloeg het portier weer dicht, haar moeder reed door, langs de winkel naar de parkeerplaats bij het gemeentehuis. Signe liep naar de brug, ze trok haar handen in de mouwen van haar jack en hield de openingen van binnen dicht. Ze dacht eraan dat ze blij mocht zijn dat ze lang haar had, dat was immers net een soort vacht. Ze liep langs de cafetaria en langs het motel en de camping, sloeg de bocht om, liep naar de brug. Er kwamen haar een paar auto's tegemoet, ze ging naar de kant van de weg, de auto's maakten een boog om haar heen.

Toen ze op de brug was, reed er een grote trailer met aanhangwagen overheen, ze voelde de brug schommelen. Ze kneep haar ogen half dicht en keek door haar haar heen dat door de wind voor haar gezicht werd gewaaid, keek naar het muurtje aan de andere kant. Ze zag dat het zomer was en dat ze daar weer zaten en dat die warme, laaghangende zon scheen die overal binnendrong, die nooit ophield met schijnen.

Inga stond midden op het toneel in de gymzaal. Ze hadden een sketch gemaakt, Inga moest een kromme oude Samenvrouw voorstellen die over de hoogvlakte liep. Signe stond midden in de zaal om te zien hoe het werd. Inga was helemaal stijf, het zag er heel echt uit, het was zo goed. Signe lachte. Ook Inga begon te lachen. Ze konden niet meer ophouden. Signe zakte midden in de zaal op de grond, Inga lag op haar rug op het toneel. Ze waren alleen in de gymzaal, het was bijna tijd om naar huis te gaan, Signe hoorde haar gelach in de grote ruimte. Het was er koud. Ze keek naar het plafond. Dat bestond uit vierkante, witte platen met gaatjes erin. Beneden hoorde ze de zaag, het geluid van iemand die schaafde, een slijpmachine. Ze had maar drie kwartier hoeven lopen, maar toen ze er was had ze het zo koud gehad dat ze met haar handen op de radiator bij het raam had moeten zitten toekijken hoe de anderen kadetjes kneedden.

Inga kwam overeind, ze liep naar de rand van het toneel en begon het songfestivallied 'Samí Ædnan' te zingen. Ze stond met de punten van haar schoenen over de rand luidkeels te zingen terwijl ze Signe recht aan keek, ze zong bloedserieus. Signe keek naar haar, dat donkere, steile haar, dat magere lichaam en die lippen, die hadden iets blauws en onder haar ogen had ze iets donkers. Die lange, magere armen. Zij tweeën waren de enigen op de hele wereld die het recht hadden dat lied te zingen. Inga begon bewegingen met haar heupen te maken en met haar ogen te rollen terwijl ze het refrein zong. Signe begon weer te lachen. Toen lachten ze allebei. Signe bedacht dat als ze de tekst had gekend ze het nummer uit de auto zou hebben gezongen. *We'd go down to the river, and into the river we'd dive, oho down to the river we'd ride.* Het was net een beginnende beweging die haar mee zou voeren, een kracht die op komst was, zoals wanneer je voetstappen achter je in het grind hoort of bij de rivier in de verte zit te staren, alsof er iemand naar je kijkt.

Signe zat in bed met het boek van Henning in een tijdschrift, ze streek met haar wijsvinger over het gouden hartje, het was warm en glad. Ze dacht dat hij daarom wilde dat ze het boek voor hem zou bewaren, omdat hij wist dat ze erin zou gaan lezen en wilde dat ze dat zou doen. Ze las een verhaal over een vrouw die naakt in het bos lag te zonnen en toen kwam er een vreemde man die aan het wandelen was en die ging zomaar naast haar zitten en daar vlakbij groeiden een paar kruiden en toen vroeg die vrouw of hij haar rug wilde inwrijven met die kruiden en dat deed die man en toen wilde zij hem ook inwrijven, als dank. En toen deed ze zijn broek uit en wreef zijn piemel en zijn achterwerk in en toen nam ze zijn piemel in haar mond, maar de man werd zo ijverig dat hij boven op haar ging zitten en keesde als een konijn, stond er in het boek. Keesde als een konijn. Ze probeerde het voor zich te zien.

'Aah', zei de vrouw.

Signe deed haar mond open om te proberen zo 'aah' te zeggen.

'Signe', zei haar moeder, ze stond in de deuropening. Het donkere haar stond in een wolk om haar bleke gezicht.

Ze had haar niet de trap af horen komen.

'Je moet je omkleden voor we naar de inrichting gaan.'

Signe knikte. Haar moeder bleef even staan.

Signe zag haar moeder voor zich in het bos met die vreemde man, toen stelde ze zich voor dat ze het zelf was.

'Is het goed afgelopen vanmorgen?' vroeg haar moeder.

'Ja', zei Signe en ze glimlachte naar haar, ze hield het tijdschrift vast.

Ze dacht niet dat haar moeder iets kon zien.

'Mooi zo', zei die. Ze draaide zich om en ging weg. Signe hoorde de geluiden van het Pac Man-spel van haar broer door de muur heen. Haar vader kwam tussendoor niet naar huis, hij was in de inrichting gebleven om alles voor te bereiden. Ze herinnerde zich hoe het was toen ze nog klein waren, haar broer en zij, hoe ze door de lange gangen in de kelder van de inrichting hadden gehold, de trappen op, boven door de gangen, en toen weer naar beneden, naar de kelder, het geluid van hun klapperende, schallende voetstappen en het was zo leeg en stil geweest daar onder in de gangen, ze hadden elkaar doen schrikken en gelachen. Ze dacht aan de betonnen deur naar de schuilkelder en aan het rode lampje bij de deur van de koelruimte voor de mensen die waren gestorven.

Ze stond op en legde het boek van Henning terug in de la. Ze deed haar kast open, ze had twee jurken. Van de jurk die ze het mooiste vond, waren de mouwen een beetje te kort geworden. Toch trok ze die aan. Ze ging naar de gang en bekeek zichzelf in de spiegel, ze had rode wangen, vond dat ze er mooi uitzag. Ook al was de jurk dan een beetje te klein. Ik straal, mijn ogen glanzen. Ze glimlachte naar de spiegel. Haar vader zou haar optillen en rondwervelen en trots op haar zijn, en zij was trots op hem. En morgen is het nog maar twee dagen, dacht ze.

S igne en haar broer liepen naar de auto. Zij ging achterin zitten, haar broer voorin. Ze zeiden niets. Het was koud in de auto. Signe bedacht dat nu de neef van Inga langs zou moeten komen, nu ze zich zo mooi had gemaakt, nu zou hij een rondje moeten rijden met zijn auto en haar moeten zien, zien hoe mooi ze was. Ze hoorde haar moeder de buitendeur dichtslaan, toen haar voetstappen in de sneeuw, die dichterbij kwamen. Haar moeder bleef even naast de auto staan en nam nog een trek van haar shagje, toen gooide ze het op de grond, stapte in en startte. Ze keek in het spiegeltje naar Signe, Signe keek terug en toen keek haar moeder weer recht voor zich. Ze had zich niet zo mooi gemaakt als de avond daarvoor, dacht Signe. Ze had geen oogschaduw opgedaan, of lippenstift, of dat rode op haar wangen en ze droeg ook een andere jurk, een donkerblauwe. Haar moeder gaf te veel gas en de auto maakte een sprongetje naar voren, toen reed ze achteruit, keerde en ze reden het korte stukje naar de inrichting. Hoewel er vlak bij de deur nog plaats was parkeerde haar moeder dicht bij de inrit.

Uit het raam van de kantine viel geel licht naar buiten. Signe zag de kerstboom daarbinnen, hij had iets zachts met al die lichtjes, de rode ballen en de mandjes, die de bewoners waarschijnlijk hadden gemaakt. Ze gingen door de hoofdingang naar binnen, legden in het kantoor van haar vader hun mantels op het bankje. Er hingen foto's aan de muur, foto's die haar vader in de bergen had gemaakt, uitvergroot, er was er een van Signe en haar broer bij een vuur, ze hadden elk een tak in de hand met een boterham op het punt waar de tak zich splitste, ze glimlachten naar degene die de foto maakte. Signe had een oude Samen-muts op en het haar van haar broer zat in de war, op de achtergrond zag ze de hond, een wittige vlek, vaag. Opeens stond haar vader achter hen in de deuropening.

'Hoi', zei hij.

Signe draaide zich om. Hij glimlachte. Ze zag dat hij naar haar moeder keek, naar de jurk die niet de rode was, er verscheen iets in zijn blik. Toen schoof hij het als het ware van zich af en keek naar Signe.

'Ze verheugen zich erop dat jullie komen.'

Hij hield zijn arm zo dat Signe hem zou nemen, keek naar haar moeder. Die zei niets, hief haar wenkbrauwen op, haalde haar schouders op alsof ze wilde zeggen dat het haar niets aanging, dacht Signe. Maar het ging haar wel aan, want haar moeder hoorde die arm te nemen, haar moeder hoorde samen met haar vader naar binnen te gaan, maar haar moeder reageerde niet en haar vader stond daar maar te wachten met die arm en nu moest iemand erheen gaan. Signe hief haar arm op en stak die door die van haar vader, ze glimlachte naar hem en voelde zijn sterke greep en zijn warmte en ze rook de geur van zijn aftershave en van zweet, samen liepen ze door de gang.

Ze kwamen bij de kantine. De patiënten zaten al aan tafel. Haar vader legde zijn arm om haar schouders. Zo bleven ze even staan. Iedereen keek naar hen. Toen wees haar vader een lege plaats aan waar Signe kon gaan zitten. Het was tussen twee patiënten in, een jong meisje en een volwassen man. Aan de andere kant van de tafel zat een oudere vrouw. Ze glimlachte naar Signe. Ze kwam wel eens bij hen op bezoek, dan zat ze aan tafel in de woonkamer en sprak Samisch met zichzelf, haar vader zei dat ze stemmen hoorde.

Signe zag haar broer en haar moeder binnenkomen, ze liepen naast elkaar, maar ze praatten niet met elkaar. Haar broer had een wit overhemd aan en een vest met een patroon erin gebreid, hij had zijn haar gekamd. Haar moeder had een grote wollen sjaal om haar schouders. Ze vonden een plaatsje aan het uiteinde van een andere tafel, waar nog diverse lege plaatsen waren, de stoel naast die van haar moeder was leeg. Haar vader stond op en zei met luide stem: 'Ja.'

Het werd stil, de mensen draaiden hun hoofd om, verschoven

hun stoelen, iedereen keek naar hem. Hij keek de zaal rond en begon te praten. Zijn stem klonk luid en donker.

'Welkom bij onze kerstviering. Op de donkerste avond van het jaar horen we bij elkaar te zijn. Want ook al is de zon ver weg, wij zijn hier. We kunnen elkaar vreugde bereiden en helpen. Nog drie dagen, dan is het kerstavond, dan vieren we de geboorte van Jezus. En vanavond vieren we bovendien de zonnewende.'

Hij had het over kleine tekenen van saamhorigheid en over alles wat warmte en hoop kon geven en een straaltje licht in de ziel kon betekenen: een blik, een glimlach, een paar vriendelijke woorden. Toen boog hij het hoofd en sprak een kort gebed en daarna zongen ze voor het eten. Er waren veel patiënten die niet meezongen. Signe zong zacht en duidelijk. Ze keek naar haar vader, ze zag hem van opzij tussen een paar patiënten door. Toen het lied uit was keek hij weer de tafels rond. Hij was ernstig, hij had een frons tussen zijn wenkbrauwen. Plotseling keek hij haar recht aan, ze glimlachte naar hem om te laten zien dat het goed met haar ging.

Het jonge meisje naast haar begon over geroddel te praten. Het eten werd binnengebracht. Ze vroeg of Signe ook roddelde. Voor die kon antwoorden ging ze door: 'Ik hou daar niet van,' zei ze, 'ik hou er niet van als ze over je praten als je er niet bij bent. Nee', zei ze. 'Nee.'

Er gingen schalen met aardappelen rond. Signe zag dat haar moeder opstond en naar de gang liep. Daar stond een vrouw, ze droeg een bruine mantel en had een dikke, lila sjaal om, ze had een ronde bril en heel kort haar. Signe wist niet wie het was, haar moeder was met haar in gesprek, ze hadden hun hoofden dicht bij elkaar gestoken. Misschien was er iets met die zaak op haar werk, dacht Signe. Ze keek naar de mond van haar moeder, zag dat die snel bewoog. Er kwam een schaal met vlees langs, ze bediende zich en gaf hem door. Ze keek weer naar de gang, haar moeder was er niet meer, ook de vrouw was verdwenen. Signe zag dat ook haar vader niet op zijn plaats zat. Er klonken geluiden van messen en vorken en borden en vlakbij gesmak van monden die opengingen en kauwden. Na een poosje kwam haar vader terug. Er waren geen artsen en er was ook verder niemand van het verplegend personeel. Degenen die serveerden waren patiënten en achter de zwaaideuren in de keuken zag ze nog een paar van hen.

Ze keek naar haar vader. Hij glimlachte naar de oudere man die recht tegenover hem zat, ze proostten met hun glas sap. Signe zag hoe graag de patiënten haar vader mochten. Niet zo gek dat de artsen hem niet ondersteunden, dat ze zich bedreigd voelden. Ze dacht aan de schema's die haar vader tekende als hij het over structuren had, hij zei altijd dat het om macht ging, dat dat sociologie was.

Ze aten bavarois met bergframbozen als dessert. Een van de patiënten zong een psalm, iemand anders droeg een gedicht voor dat ze zelf had geschreven. Halverwege begon ze te huilen. Haar vader stond op en ging naar haar toe. Ze stond tegen hem aan geleund en bleef maar huilen. Haar vader wiegde haar voorzichtig heen en weer terwijl hij zijn armen helemaal om haar heen hield. Signe zag dat hij fluisterde: 'Is goed, is goed.'

Daarna was er een verloting, je kon dingen winnen die de patiënten bij ergotherapie hadden gemaakt. Signe won een paar wollen sokken, er waren veel mensen die verschillende dingen wonnen.

'Waar is je moeder?' vroeg iemand achter Signe.

Ze draaide zich om. Het was het meisje dat ze voor het raam had zien staan. Ze stonden vlak bij elkaar. Er verscheen iets in de ogen van het meisje, alsof die ogen meer wisten.

'Ze moest weg, iets met haar werk.'

Het meisje keek haar alleen maar aan. Ze ziet dat ik lieg, dacht Signe.

'Ze heeft een moeilijke zaak en toen moest ze weg om iets te regelen wat haast heeft.'

Het meisje begon te glimlachen. Signe dacht dat het zielig voor het meisje was dat ze hier alleen moest wonen. Signe glimlachte terug.

'Hoe heet je?'

Ze antwoordde niet. Signe zei haar eigen naam. Het meisje bleef haar glimlachend aankijken.

'Heb je al van de taart geproefd?' vroeg Signe, 'die is ontzettend lekker, ik geloof dat ik nog een stukje neem.'

Ze glimlachte naar het meisje en ging naar de tafel met de taarten. 'Taart', hoorde ze het meisje achter zich zeggen, zachtjes. Signe draaide zich om en keek naar haar. Het meisje had haar hoofd gebogen en keek met een scheef glimlachje vanonder haar pony naar Signe, alsof ze een jongen was.

Signe zocht haar vader. Ze zag hem nergens. Ze zag haar broer, die zat zoals altijd met een oudere patiënt in een hoekje te schaken. Het zag grijs van de rook daarbinnen. Overal waren mensen. Haar moeder was niet meer teruggekomen. Signe dacht dat ze er misschien vandoor was gegaan, dat ze dat hadden afgesproken, zij en die vrouw. Als ze thuiskwamen zou de kleine, zwarte koffer weg zijn en zouden haar planken in de kast leeg zijn.

Een van de patiënten begon iets jazz-achtigs te spelen op de piano in de hoek. Toen zag ze haar vader. Zijn gezicht was rood en de frons tussen zijn wenkbrauwen was zichtbaar, hij was vast ontzettend moe, hij praatte met een patiënt, had zijn hoofd naar hem toe gebogen, hij glimlachte, maar ze kon zien dat hij aan iets anders dacht, dat hij zich moest inspannen, dat hij eigenlijk boos was. Ze hoopte niet dat de patiënt het merkte.

Ze was blij dat ze gezond, intelligent en sociaal was. Haar vader keek altijd naar haar, glimlachte en dan zei hij dat, dat ze zo sociaal was, dat ze zo goed voor anderen zorgde. Signe hielp de tafels af te ruimen, ze zette borden en glazen op de glanzende wagens, liet het vuile bestek in een emmer met water glijden. Ze ging naar het raam en keek naar buiten. De parkeerplaats bij de inrit, waar de auto van haar moeder had gestaan, was leeg. Het was zo donker buiten. De sneeuw lag helemaal tot aan de vensterbanken. Als ik het raam opendoe kan ik er zo uitstappen, dacht Signe. Ze dacht aan de discipel die over het water liep, hij bleef drijven omdat zijn geloof zo sterk was, pas toen hij begon te twijfelen, begon hij te zinken.

Ze reden met de auto van haar vader naar huis. Niemand zei iets. Haar vader nam de bocht naar hun huis met zo'n vaart dat Signe tegen het portier aan viel. De auto van haar moeder stond er, maar binnen achter de lampjes en de dunne nylon gordijnen was het donker, ze was niet thuis, ze waren met de auto van de andere vrouw weggegaan. Signe zou het liefst willen gaan slapen, en dat morgen, als ze wakker werd, alles weer in orde was. Ze holde naar binnen, schopte haar laarzen uit, zwaaide de deur open en riep iets door het huis. Niemand antwoordde. De hond kwam overeind in de kamer en liep haar tegemoet, kwispelend. Signe holde met twee treden tegelijk langs haar heen de trap op, in de deuropening bij de piano bleef ze staan.

Haar moeder zat op de leuning van de bank te roken. Ze had geen licht aangedaan, alleen het puntje van haar shagje gloeide. Ze keek niet op, zei niets. Ze zat daar met rechte rug, haar hand naar de asbak gestrekt.

'Wat is er, mama?' vroeg Signe. 'Waarom ben je weggegaan?'

Langzaam draaide haar moeder haar hoofd om en keek haar aan. Haar mascara was uitgelopen. Haar haar, dat in een rechte lijn rondom haar hals hing, golfde zacht heen en weer, die witte hals onder dat donkere haar. Er verscheen niets in haar ogen, maar ze bleven haar aankijken. Haar moeder deed haar mond open, zo bleef ze zitten.

Haar broer en haar vader kwamen binnen, haar moeder deed haar mond weer dicht, haar broer ging rechtstreeks naar zijn kamer. Haar vader liep naar de kelder en ging met de kachel aan de gang, ze hoorde hem blazen en er meer hout in leggen, het geluid toen hij de schuif instelde. Hij kwam de trap naar de kamer op, Signe merkte dat hij achter haar verscheen, want haar moeder verplaatste haar blik naar hem. Niemand zei iets.

Ze hoorde haar vader naar de keuken gaan. Hij deed het licht aan, het schijnsel viel achter haar de kamer in, ze zag de scha-duwen van haar eigen benen als twee stokken die in een punt naar haar moeder wezen. Ze hoorde dat hij de koelkast opendeed, er eten uit haalde, hij vulde de ketel met water, zette de bordjes op tafel, ze hoorde het geluid van de glazen die hij neerzette en van messen. En ze hadden net gegeten.

Signe ging naar het raam en keek naar de weg, het was al tien uur geweest, vanuit het huis van Henning zag ze licht op de sneeuw vallen, een stukje verderop had iemand al een kerstboom in de kamer staan, opgetuigd en wel, vaag zag ze een paar lichtjes en de stralende ster bovenin. Ze keek naar de lege, besneeuwde weg. Ze stelde zich voor dat er een auto aan zou komen, een auto die voor hun huis zou remmen en dan zou iemand zich vooroverbuigen en naar haar glimlachen en zwaaien.

In de keuken hoorde ze het theewater koken, haar vader, die de ketel van de plaat nam.

'De tafel is gedekt', riep hij.

Hij riep de naam van haar broer, hard, kortaf. Ze hoorde een deur opengaan, haar broer die zijn kamer uit kwam, zijn voetstappen op de trap. Ze liep naar de keuken en ging op haar plaats zitten, haar broer kwam binnen. Haar vader zei de naam van haar moeder.

'Kom je nu!' zei hij.

Signe hoorde dat hij razend was. Ze pakte het theezakje uit het warme water dat haar vader in haar kopje had geschonken en legde het op haar bord, dat kleurde rood. Rozenbottelthee.

'Ik wil niet meer', zei haar moeder.

Ze stond kaarsrecht in de deuropening van de keuken.

'Kom en ga zitten', zei haar vader met zijn tanden op elkaar.

'Ik wil niet gaan zitten.'

Haar moeder bleef met haar armen langs haar lichaam staan. Haar vader stond op, zijn stoel viel op de grond. Hij pakte haar bij de arm en trok haar de keuken in.

'Laat me los!' schreeuwde ze. 'Laat me los, schoft.'

Ze spuugde naar hem. Ze raakte hem op zijn witte overhemd, een kleine, natte plek. Hij trok haar stoel naar achteren en duwde haar naar beneden, hield zijn sterke handen op haar schouders. Ze wilde niet, ze probeerde zich uit zijn greep los te rukken. Hij duwde nog harder, drukte haar naar beneden. Toen ze zat hield hij haar nog steeds bij haar schouders vast. Ze probeerde zich niet meer los te rukken.

'En nu praten we met elkaar', zei hij met zijn tanden op elkaar. 'Nu ontloop je me niet tot we met elkaar gepraat hebben, hoor je me.'

'Laat me los', zei haar moeder. 'Nu laat je me los.'

Maar haar stem had geen kracht, er klonk niets in door, haar stem was leeg.

'Ik beteken toch niets voor jullie. Gister was ik ergens waar ik meemaakte dat mensen luisterden naar wat ik zei, dat ik iets had te melden. Hier ben ik niets waard, hier ben ik alleen maar een machine, was af, doe de was, ruim op en regel.'

Signe keek naar haar. Nu was het er weer, dat harde, scherpe, in haar stem. Ze stak nog een shagje op, haar armband gleed langs haar arm naar beneden, ze zat met haar shagje voor haar mond.

'Maar je betekent iets voor mij', zei Signe.

Het duurde even, toen verplaatste haar moeder haar blik van haar vader naar haar, ze blies de rook over tafel uit.

'Dat is fijn, Signe', zei ze.

Ze probeerde haar stem een zachte klank te geven, maar dat harde klonk er de hele tijd in door. Haar moeder keek weer naar haar vader. Signe keek naar haar broer, die keek naar de vlammetjes van de adventskaarsen, het was alsof hij bezig was met een som, alsof hij uitrekende hoe lang de kaarsen zouden branden of hoe groot de vlammen waren in verhouding tot de lengte van de kaarsen, hoeveel licht er nog over was.

Signe herinnerde zich zijn gezicht die late avonden als ze thuiskwamen van de bouwplaats, toen dit huis werd gebouwd. Hij had hun vader helpen metselen en opruimen. Ze vond dat het was alsof de werklamp daar buiten gaten in de ogen van haar broer had gebrand en er een ander licht in had doen schijnen, grijzer, killer. Dat was in de herfst geweest, het was donker buiten, er was al een beetje sneeuw gevallen. Signe had niet mee gehoeven, omdat ze een meisje was. Zij had iets gebakken, zodat er iets lekkers voor hen was als ze thuiskwamen.

Haar vader haalde diep adem. Signe keek naar hem. Ze zag dat hij moe was, zijn haar was door de war, zijn gezicht zag rood tot in zijn hals.

'Ik zal het je nog een keer uitleggen.'

Zijn stem klonk zacht, rustig.

'Laat me het je uitleggen.'

Hij keek hen een voor een aan: Signe, haar broer, haar moeder, met dat donkere, scherpe in zijn ogen.

'Wij,' zei hij en hij wees met zijn vinger in het rond, 'wij vormen een gezin. Wij wonen hier, in dit huis. We hebben twee kinderen en een hond.'

Hij zweeg even, haalde toen diep adem: 'We vormen een groep', zei hij, 'en als we het leven aan willen kunnen dan moeten we elkaar in deze groep ondersteunen. Als Signe ophoudt een deel van de groep te zijn, dan valt die uit elkaar. Nietwaar, Signe?'

Hij keek haar aan met die blik van hem. Het was onmogelijk om hem niet in de ogen te kijken.

Ze knikte.

'In deze groep moeten we bespreken wat ons blij maakt en waarover we verdrietig zijn.'

Hij sprak rustig. Signe keek naar hem, ze dacht dat het voorbij zou gaan, dat het goed zou aflopen. Morgen zouden ze samen kerstkoekjes bakken, met zijn allen. Ze zag ze voor zich met een schort voor en een witte bakkersmuts op en met meel op het puntje van hun neus. In een heel lichte ruimte met de radio aan.

'Blijf jij daar maar zitten roken, blijf daar maar zitten en voel je boven ons verheven.'

Haar vader schreeuwde. Signe schrok, er liep een grote, koude druppel uit haar ene oksel. Toen begon hij te fluisteren, de scherpte was uit zijn ogen verdwenen, ze hadden geen contouren meer.

'Ik ben niet goed genoeg voor je, ik ben nooit goed genoeg voor je geweest, dit huis is nooit goed genoeg geweest. Maar daarbuiten, daar is alles in orde, daarbuiten voel je je prima, daar praat je en regel je en organiseer je.'

Hij schreeuwde het uit: 'Wat vertelt zij je allemaal dat je zo goed met haar kunt praten? Wat doet ze godverdomme met je?'

Signe dacht aan de vrouw met dat korte haar en die ronde bril, dacht dat haar vader haar bedoelde, ze wist het niet.

Haar moeder zat haar vader stil met versmalde ogen aan te

kijken. Er steeg een sliert rook op van haar shagje. Haar vader
keek naar haar broer. Die zat met zijn middelvinger bij zijn
mond.

'Zit stil!' beet haar vader hem toe.

Haar broer haalde zijn hand bij zijn mond weg. Hij had weer
op de huid bij zijn nagel zitten bijten.

'Ik wil dat neurotische gesodemieter niet hebben', zei haar
vader tegen hem.

'Kijk me aan.'

Haar broer staarde in de kaarsvlam. Signe zou willen dat hij
haar vader aan zou kijken. Toen keek hij hem aan. Signe vond dat
hij dat meteen had moeten doen. Haar vader hield de blik van
haar broer lang vast.

'Jij bent net je moeder', zei hij zacht.

Niemand zei iets. Maar ik lijk op papa, dacht Signe. Zij was
niet zo bang als haar broer, niet bang voor het donker, niet bang
om de telefoon op te nemen, niet bang om met mensen te praten
die ze niet kende. Ze huilde niet zo gemakkelijk, zat stil zonder
haar handen en voeten te bewegen, ademde zonder dat iemand
het merkte.

'Zomaar weg te gaan', zei haar vader.

Hij praatte weer tegen haar moeder, zacht en doordringend.

'Zomaar weg te gaan zonder iets te zeggen. Jij bent zo god-
vergeten arrogant, je gaat er zomaar vandoor. Het is niet goed
genoeg voor je. Het inspireert je niet. Niets is goed genoeg. Ga er
maar vandoor, ga wanneer het je past. Ga en vind je inspiratie
elders, samen met die communiste, samen met anderen die je
begrijpen, die je kunnen geven wat je zoekt. Ga toch!'

In de hut lagen tekeningen die ze hadden gemaakt. Haar vader
had alle tekeningen bewaard vanaf het moment dat het werk aan
de hut was begonnen en toen het dak en de muren klaar waren,
had hij ze in een stapel op een plank gelegd. Alsof de hut een hol
was, een grot, een geheime bergplaats voor een schat. Ze dacht
eraan dat daarboven in de bergen, diep onder de sneeuw, sporen
van hen lagen, kleine tekens. Ze stelde zich voor dat er misschien
iemand zou komen die hen niet kende, iemand die de hut op de

kaart had gezien en zich daar had ingegraven. Ze zouden naar hun spullen en naar de tekeningen kijken, ze zouden aan haar familie denken, ze zouden een heel verhaal verzinnen over wie ze waren.

'Signe', zei haar vader.

Zijn stem, hij was op het randje nu, op het uiterste randje.

'Ja', zei ze.

Ze keek hem aan, recht in de ogen, keek haar vader recht aan met ogen als een lieve, tedere hand. Ze voelde dat er nog meer kouds uit haar oksels liep, als ze haar armen heen en weer zou bewegen zou het nattig glijden, maar dat deed ze niet, ze bleef doodstil zitten en keek haar vader aan.

'Wij vormen een groep. Moeten we elkaar steunen en helpen?'

'Ja', zei ze.

'We kunnen elkaar niet zomaar in de steek laten, toch?'

'Nee', zei ze.

'In de bergen,' zei haar vader, 'in de bergen kunnen we elkaar niet in de steek laten, dat kan gevaarlijk zijn, als de mist opkomt bijvoorbeeld. Herinner je je de mist van de zomer, Signe?'

Ze knikte.

'En zo is het hier ook', zei haar vader. 'Jullie moeder treitert me en daar kan ik niet meer tegen. Ik heb jullie moeder een ultimatum gesteld,' zei haar vader, 'dat weten jullie. Ze heeft niet met me gepraat en als ze voor zaterdag niet met me praat, dan gaat het niet langer.'

Ze wist dat hij bedoelde dat ze zich dan moesten laten scheiden. Zaterdag, dat was kerstavond, dacht Signe. Waarom zei hij dat niet?

'Jullie moeten erover nadenken waar je wilt wonen', zei haar vader.

Ze keek naar haar broer. Hij keek voor zich uit naar de kaarsen. Ze keek weer naar haar vader, hij stond op. Het was voorbij, ze konden gaan.

Signe en haar broer poetsten naast elkaar hun tanden. Ze spuugden tegelijk uit, zijn spuug zag geel en een beetje bruin, ze vroeg zich af of hij was begonnen te roken. Maar waar zou hij het geld vandaan hebben? Hij verzamelde lege flessen samen met een vriend, in de herfst plukten ze bergframbozen en verkochten die, ze spaarden voor een keyboard en een versterker, ze hadden nog steeds niet genoeg. Ze zaten altijd op haar kamer naar muziek te luisteren als zij er niet was, want zij was de enige die een stereo-installatie had, haar broer had een computer gekregen. Ze probeerde zich voor te stellen hoe het zou zijn om ergens anders te wonen dan haar broer. Ze keek naar hem in de spiegel, zijn bruine haar was lichter dan dat van haar. Keesde als een konijn. Hij ging naar zijn kamer, deed de deur achter zich dicht. Ze dacht eraan hoe ze over de grote vlakte holden, tot bij die steile helling naar de hut. Ze liepen allebei zo snel als ze konden, maar hij was sneller en toen holde de hond hen voorbij en was er het eerst, bleef aan de rand van de vlakte staan.

Ze ging naar haar kamer. Ze hoorde de hond de trap af komen, ze kwam binnen. Signe piepte tegen haar en ze stond haar kwispelend aan te kijken. Ze draaide in de rondte voor ze ging liggen. Signe drukte haar wang tegen de ruit en keek naar het huis van Henning. Daar was het helemaal donker, het was al na twaalven, ze zag Henning voor zich, slapend onder zijn dekbed, zijn warme adem tussen zijn lippen door. Ze deed de gordijnen dicht. Ze kleedde zich uit en legde haar bril op de deksel van de pick-up. Het was gemakkelijker om moe te worden als alles voor haar ogen samenvloeide en ze ze dicht moest doen om duidelijk te kunnen zien. Ze hoorde het zachte geluid van Beethoven boven in de kamer. De stem van haar moeder, ze hoorde nu alleen de stem van haar moeder. Signe lag op haar rug met haar handen vlak langs haar lichaam, ze maakte geen geluid, ze ademde door haar neus. Ze kon niet horen wat ze zeiden. Ze wilde dat de stemmen wat helderder zouden klinken. Door de muur naar haar broers kamer hoorde ze dat hij op het toetsenbord typte. Hij zou moeten gaan slapen, dacht ze. Er komt herrie. Hij zou moeten gaan slapen nu het nog stil was, dan hoefde hij niets te horen, want hij slaapt zo diep, dacht ze.

Ze zou aan de neef van Inga denken. Morgen zouden ze kerstkoekjes bakken. Toen dacht ze aan Henning. Ze dacht aan het verhaal over dat tweetal in het bos. Toen dacht ze aan kerst. Ze dacht aan kaarsen zoals ze eruitzagen als ze geen bril op had, elk vlammetje net een zacht zonnetje.

D e deur van haar ouders slaapkamer was dicht. Ze stelde zich voor dat haar moeder daar misschien lag, dood. Ze ging naar boven, de hond kwam haar tegemoet, Signe ging op haar hurken zitten om haar te aaien, ze hield haar kop schuin en keek Signe met haar lieve ogen aan. Haar vader stond in de keuken, hij luisterde naar de radio, keek uit het raam. Ook Signe keek uit het raam. Er was niets te zien, het was donker, alsof het voortdurend nacht was, ze ontmoette de blik van haar vader in de ruit.

'Ik heb vannacht zo raar gedroomd', zei hij.

'Wat dan?'

'Ik droomde dat de rubberboot een vogel was. Toen we hem onder de struiken vandaan wilden halen, je herinnert je toch nog waar we hem hebben verstopt?'

Signe knikte.

'Toen we hem gingen halen was het geen boot meer, maar een grote vogel, een groene vogel met gele en zwarte vleugels, hij steeg op en vloog weg.'

'Dat klinkt alsof het een mooie droom was', zei Signe.

'Ja', zei hij en hij glimlachte naar haar.

'Het was een mooie droom. Het wordt een mooie zomer. Maar misschien is het beter als we een nieuwe rubberboot kopen.'

Hij keek haar lachend aan.

'Weet je', zei hij en hij lachte, zodat zijn schouders schokten. 'Het was alsof ik die vogel was', zei haar vader, 'die vogel die opsteeg en wegvloog, dat was ik, ik was boven in de lucht en kon heel ver kijken, eindeloos ver. De zon scheen en het was warm en alles daar beneden was zo helder en duidelijk.'

Signe voelde hoe blij ze werd. Het was alsof ook zij een vogel was en daar samen met haar vader vloog, ze keek hem glimlachend aan.

'En toen werd ik een vis', zei haar vader. 'Ik was een vogel die naar beneden in het water keek en daar zag ik een vis en toen werd ik die vis. En toen kwam er een joekel van een snoek en moest ik me achter een grote steen verstoppen, maar achter die steen ontdekte ik een trap naar boven.'

Toen zweeg hij, hij luisterde naar iets op de radio, iets over politiek. Signe keek weer naar het donkere raam. Het deed er niet toe dat het donker was, ze begreep niet dat haar moeder het daar zo vaak over had. Wat ik mis als het donker is, dacht Signe, is dat ik niet ver kan kijken. 's Zomers kon ze vanuit het keukenraam heel ver kijken, een heel stuk het dal in, dan zag ze de berghellingen aan weerszijden en de vlakke, wijde dalkom waar de rivier doorheen stroomde en waarin de huizen lagen, en de kleine, vrolijke bomen en de bergen en de heuvels, en de hemel, ver weg waar de rivier in zee uitmondde.

Ze stond in de gang, had haar tanden gepoetst en haar jas en alles om en aan. De stof van haar jack knisterde toen ze de trap weer af liep, de kelder in. Ze deed de deur op een kiertje. Het was donker daarbinnen, een zware, bedompte lucht.

'Mama,' zei Signe zachtjes, 'ben je wakker?'

'Ja', zei haar moeder zachtjes.

'Wat is er met je?'

'Ik voel me niet lekker.'

'Wat heb je dan?' vroeg Signe.

Ze hoorde haar moeder diep ademhalen.

'Het komt wel weer goed', zei ze.

Haar stem klonk zwak. Signe bleef bij de deur staan zonder iets te zeggen. Het licht uit de gang vormde een streep over het bed, over het patroon van het dekbed, vlak naast het gezicht van haar moeder en langs de muur. Ze hoorde haar vader boven hen door de keuken lopen.

'Je moet nu gaan als je de bus wilt halen', zei haar moeder.

'Beterschap', zei Signe.

Ze deed de deur dicht. Ze ging de trap op en de hal in, trok haar laarzen aan, ze riep doei en deed de buitendeur open. Het was abnormaal koud, het schuurde langs haar gezicht. Ze liep rond het huis de weg op. Achter zich hoorde ze iemand hollen. Henning kwam naast haar lopen, Signe merkte dat hij naar haar keek.

'Je moet dat boek niet helemaal kapot lezen, je moet ook nog een beetje slapen.'

Hoe wist hij nu dat ze zo laat was gaan slapen, dat ze wakker had gelegen en had liggen luisteren. Ze had alles gehoord. Alles.

Het kraakte onder hun voeten, het was zo stil in het donker. Ze keek hem aan, hij keek terug. In zijn ogen lag een flauwe glimlach. Ze begon te hollen, haar lichaam voelde zo licht, had een vaart die onmogelijk was te stoppen, en Henning holde naast haar.

'Ik dacht dat we ruim op tijd waren.'

'Dat is het niet', zei Signe.

'Wat is er dan?'

'Dat weet ik niet', zei Signe. 'Ik ben alleen maar zo blij.'

Henning schudde glimlachend zijn hoofd. Ze bereikten de top van de heuvel vanwaar de weg naar de grote weg langs de inrichting liep, waar de bushalte was. Ze bleven staan. Ze zou willen dat ze hun armen om elkaar heen zouden slaan, ze zou hem o zo stevig vasthouden en haar wang tegen zijn zachte lippen leggen en hij zou ertegenaan blazen, voorzichtig, warm. Ze keken elkaar aan.

'Signe', zei hij.

Hij zei het zachtjes, zijn stem klonk een beetje hees en hij moest even kuchen. Ze hoorden stemmen, achter hen kwamen een paar anderen aan, ze waren nog voor de bocht achter de sneeuwwal, ze konden hen nog niet zien. Het waren Signes broer en zijn vriend. Ze discussieerden ergens over. Haar broer had een luide, heldere stem. Signe keek naar Henning. Hij tilde zijn hand op en streek met zijn want langs haar arm. Ze wilde dat hij daarmee doorging.

'Kom,' zei hij, 'dan grijpen we ze.'

Ze sprongen tegen de sneeuwwal op, kropen er op hun buik overheen en gingen daarachter plat op de grond liggen. Ze lagen doodstil te wachten, keken elkaar aan terwijl ze luisterden, ze wilde dat ze haar broer en zijn vriend zouden vergeten, zich daar alleen zouden verstoppen en elkaar zouden kussen. De stemmen kwamen dichterbij, waren vlakbij nu. Toen vielen er plotseling twee schaduwen over hen heen, het waren haar broer en zijn vriend, ze hadden hen gezien, ze sprongen boven op hen en ze rolden rond in de sneeuw, Signe vocht met de vriend, ze kreeg sneeuw in haar nek en op haar bril en zag bijna niets meer, maar ze wist zijn muts af te trekken en zijn haar met sneeuw in te peperen. Dat was zwart en glad en de sneeuw bleef er niet in hangen. Henning had weer kans gezien op de weg te komen.

'Hé, de bus!' riep hij.

Ze krabbelden over de sneeuwwal de weg op, begonnen te rennen.

De bus kwam hen tegemoet, hel verlicht, ze renden wat ze konden en toen ze er waren proefde Signe de smaak van bloed in haar mond, ze waren net op tijd. Ze stapte achter Henning in, ze zou wel willen struikelen, zodat ze hem kon vastgrijpen, maar dat deed ze niet. Ze ging naast Inga zitten. Ze zaten op hun vaste plaatsen. De bus reed langs de houtvoorraden en de melkfabriek en de Coöperatie, toen draaide hij de rijksweg op naar de rivier. Ze reden langs de benzinepomp, de brug over. Signe deed haar ogen dicht en luisterde naar Hennings stem. Het was stil in de bus, alleen helemaal achterin werd gepraat. Toen hoorde ze Henning luid vloeken, eerst in het Samisch en daarna in het Fins. Verdomme. Ze glimlachte, ze bedacht dat als zij zich nu zou omdraaien, hij haar recht zou aankijken.

Inga's zuster en haar vriendin zaten voor hen. Ze fluisterden met elkaar. Signe verstond maar een paar woorden, iets over een stel oudere jongens. Plotseling lachten ze zo hard dat het pijn aan haar oren deed.

Na de gezamenlijke afsluiting in de gymzaal bleven Inga en Signe achter om op te ruimen na de sketches. Een paar anderen hadden de banken weer op hun plaats gezet, ze waren de enige overgeblevenen. Plotseling hoorde Signe hoe stil het was. Net alsof de hele school leeg was. Geen enkel geluid van houtbewerking, geen enkel geluid op de trappen of in de gangen, niemand die buiten iets riep. Ze werd bang. Ze stelde zich voor dat de oorlog was uitgebroken en dat de Russen waren gekomen en dat iedereen buiten op het schoolplein lag met de handen op hun rug en hun gezicht in de sneeuw terwijl een paar mannen tussen hen door liepen en met hun machinegeweren de wacht hielden. Op dit moment liep een aantal soldaten geluidloos door de gangen om Inga en haar op te sporen. Ze zouden met een klap de deur van de gymzaal opengooien. Ze waren op zoek naar haar. Ze zouden het meteen zien. Dat ze haar moesten hebben. Er klonk een gil van Inga. Signe schrok.

'Het is al over tweeën', zei Inga.

Ze sprong van het toneel en greep snel haar rugzak en jas. 'Kom,' zei ze, 'ik hol vooruit en hou de bus tegen.'

Signe dook van het toneel, zocht haar spullen bij elkaar en holde achter haar aan. Bij de deur keek ze om om te checken of ze niets vergeten hadden. Ze mogen geen sporen vinden, dacht ze. Er mag hier niets zijn wat ze kunnen vinden en wat naar mij voert.

Toen ze op het schoolplein kwam zag ze Inga net de hoek omslaan naar de weg, ze hoorde een bus starten. Het was donker buiten en volkomen verlaten, er was niemand te zien. Al hollend keek ze naar de bosrand, daar was het zo donker, helemaal zwart tussen de bomen, ze keek naar de bergen, als het waar was wat ze had gedacht dan lagen daar sluipschutters op de loer, die haar met hun speciale viziers zagen, voor hen was ze net een torretje dat in rode inkt rondkrabbelde. Ze sloeg de hoek om, er stonden nog drie bussen. Voorin in een ervan stond Inga haar te wenken. Signe sprong erin, de chauffeur keek haar aan, maar hij zei niets. Signe hoopte niet dat hij boos was. Ze gingen zitten. Inga vertelde dat er met kerst een paar familieleden bij hen op bezoek zouden komen. Er was altijd bezoek bij Inga thuis, 's zomers bleven ze de hele nacht op, zaten in de kamer koffie te drinken en te praten, dacht Signe, want dat had Inga verteld.

Zwijgend zaten ze naast elkaar. De bus volgde de rechte weg langs de rivier. De ramen waren beslagen, maar er was toch niets te zien buiten, het was overal donker en stil. Morgen is het de dag voor kerstavond, dacht Signe. Bij Inga thuis hadden ze kerstkoekjes gebakken, Inga had piepkleine varkentjes van peperkoek bij zich gehad voor in de pauze. Het is zo anders bij ons thuis, dacht Signe. Ze wist niet hoe ze het Inga of iemand anders duidelijk zou kunnen maken. Wat ze deden was niet iets wat zomaar gebeurde, het was iets wat ze hadden gekozen, ze maakten keuzes ten opzichte waarvan ze hun houding moesten bepalen, keuzes hebben altijd consequenties, zoals haar vader zei. Ze dacht aan haar rapport, dat in haar rugzak zat, de rij cijfers met blauwe balpen van boven naar beneden. Ze dacht aan het woord consequenties, er waren een heleboel woorden die de anderen in haar klas niet begrepen. Dan keek de leraar vaak naar haar en dan moest zij ze aan hen uitleggen. Dat kwam omdat hun ouders met hen praatten, met haar en haar broer, veel van de anderen praatten nauwelijks met hun ouders.

Ze vroeg zich af of haar broer ook in deze bus zat, ze ging op haar knieën op haar stoel zitten en keek of ze hem zag, maar hij was nergens te bekennen. De bus reed de brug over. Inga had haar ogen dicht. Misschien hadden ze hem op school te pakken gekregen, dacht ze. Misschien hadden ze hem in de douche opgesloten en gedwongen zich uit te kleden. Het groene rapport naast hem, nat op de grijze tegels. De bus zwaaide naar de halte waar Inga eruit moest. Signe stond op en liet haar erlangs.

'Tot ziens', zei ze. 'Prettige kerst!'

Inga glimlachte naar haar met haar lippen op elkaar geklemd, alsof ze ergens aan moest denken. Signe probeerde erachter te komen wat het was. Ze hadden elkaar in de pauze hun kerstcadeautje gegeven. Wat ze van Inga had gekregen was klein en hard. De bus draaide de weg weer op, klom tegen de licht glooiende heuvel op, reed langs de inrichting en stopte. Signe stapte uit en begon in de richting van hun huis te lopen. Ze nam zich voor dat ze als ze thuiskwam meteen met de kerstkoekjes zou beginnen, ze kon in de keuken naar *Tijd voor een boek* luisteren. Ze zou deeg maken voor kokosmakronen, dat was het eenvoudigste recept, ze hoopte dat alles wat ze nodig had, in huis was. Ze dacht aan haar moeder. Ze zou de koekjes bakken waar haar moeder zo van hield, kerstkransjes, ze zou het recept in het grote kookboek opzoeken, misschien lukte het nog voordat ze thuiskwamen, dat zou een verrassing zijn. Ze bedacht hoe ontzettend opgelucht haar moeder zou zijn als ze moe uit de auto stapte en binnenkwam en zag dat alle koekjes al klaar waren.

Z e zag het huis al helemaal aan het eind van de weg, de ster en de lampjes gaven warm licht, ze zag de lichten van een auto die keerde en haar tegemoetkwam. Maar dat was die van haar vader. Was hij niet op zijn werk? De auto stopte voor haar, ze zag haar moeder naast haar vader voorin zitten. Haar broer leunde over de achterbank en deed het portier voor haar open.

'Stap in,' zei hij, 'we gaan naar Nourgam.'

Haar moeder draaide zich glimlachend om. Signe wilde zien of ze echt glimlachte, maar toen verschenen de ogen van haar vader in het spiegeltje, hij keek haar sluw aan. Haar broer zat in een boek van Donald Duck te lezen dat hij bij zich had. Ze reden weg, Signe draaide zich om en keek achterom naar het huis, ze zag de kop van de hond, die stond hen met haar voorpoten tegen het raam van de balkondeur vanonder de adventsster na te kijken.

Signe voelde hoe warm het was in de auto. Haar vader en moeder praatten over iemand die zij niet kende, haar vader vertelde iets over zijn werk en haar moeder lachte even en zei toen iets met heldere en vaste stem. Signe luisterde niet, ze voelde dat ze het had geweten, dat het goed zou aflopen, het zou helemaal tot kerst duren, ze zouden vrolijk zijn en het zou rustig blijven, ze zouden elkaar aankijken en glimlachen en met elkaar praten.

Plotseling voelde ze hoe ontzettend moe ze was, ze leunde met haar hoofd naar achteren, keek uit het raampje naar het bos waar ze doorheen reden, door de duisternis was daarbuiten niets te zien, maar toch wist ze waar ze waren, ze waren de brug over gereden en waren op weg langs de bochtige weg naar de top van de heuvel waar zij en de neef van Inga naar dat nummer hadden geluisterd en over het dal hadden uitgekeken. Ze deed haar ogen dicht. Daarna zouden ze die lange, rechte helling naar beneden rijden, ze zouden een heel stuk de bochten langs de rivier volgen en als ze bij de grens kwamen lag daar Polmak, daar waren een paar huizen en daarna, voorbij de grenspost en de grenspaal, kreeg je dat verlaten stuk.

Ze rook de geur van haar moeders shagje. Plotseling begon haar vader te zingen, hij zong 'O Denneboom' en ze zongen allemaal mee, behalve haar broer die bleef lezen. Signe keek uit het raampje, er hing zo'n kerstsfeer met al die sneeuw, ze dacht aan de rendieren van de kerstman, de mensen die cartoons maakten wisten niets van rendieren af, wisten niet hoe mager en wild ze waren, hoe de kuddes over de vlakte vloeiden, heuvelopwaarts, als een golf die slechts uit één dier bestond.

Ze kwamen bij het blauwe bordje waar 'Suomi Finland' op stond. Ze reden over het veerooster, dat merkte je nauwelijks onder de sneeuw, een lichte hobbel, ze kwamen bij de eerste winkel, die had witte muren en een rood dak van golfplaat. Daar hadden ze alleen kleren, ze hadden er vorig jaar Signes gewatteerde jack gekocht, er waren er meer op school die hetzelfde jack hadden.

Nourgam was slechts een weg met hier en daar een huis en een paar grote winkelhallen. Ze reden langs de winkel waar de moeder van Inga altijd heen ging, ze was half Fins en de man die vlees verkocht praatte Fins met haar, hij lachte en maakte grapjes, vertelde ze, en hij gaf haar altijd korting. Signe had hem een keer gezien toen zij daar in de winkel waren. Haar vader lang en donker en mager aan de ene kant van de toonbank en die dikke man aan de andere kant terwijl hij pakte waar haar vader om vroeg, het ernstige gezicht van haar vader, ze wilde dat hij niet zo'n strenge indruk zou maken, de man aan de andere kant had vrolijk geleken, zij het een beetje dom, dacht Signe. Hij was kaal, zijn witte jas was vuil op zijn buik, hij had het vlees met vlugge vingers ingepakt, net mieren, dacht Signe, ze had naast haar vader staan kijken, de vingers van de man waren net kleine wurmen, kleine, vette, witte slangen.

Ze reden nog een stukje door, toen zwaaide haar vader in een grote, gelijkmatige bocht de parkeerplaats op, soepel liet hij de auto stoppen. Hij draaide het sleuteltje om, ze bleven allemaal even stil zitten, alsof er iets grandioos zou beginnen.

'Jongens', zei haar vader, hij keek in het spiegeltje naar achteren, naar Signe en naar haar broer, haar broer keek op uit zijn boek, zag dat ze er waren en legde het weg.

'Jongens, vandaag wil ik vlees kopen.'

'Ja, ik ook!' zei Signe.

Zowel haar vader als haar moeder lachte, omdat dat er zo snel uitkwam.

'En Fanta', zei haar broer.

'Ja,' zei haar moeder, 'een grote fles fris, hè?'

Haar moeder draaide zich om en keek Signe en haar broer aan. Ze glimlachte vanonder haar pony naar hen, ze keek van de een naar de ander en toen weer terug en vervolgens keek ze naar haar vader. Signe zag dat ze elkaar aankeken en glimlachten. Haar moeder had het groen met lila zijden sjaaltje dicht rond haar hals geknoopt, het zag er mooi uit zo onder haar gezicht en haar ogen waren groot en blauw met lichtblauwe oogleden.

'Ik ben zo blij', zei Signe, het ontglipte haar.

'Dat is goed, Signe', zei haar vader ernstig met zijn diepe, goede stem. Toen deed hij het portier open en stapte uit. Toen ze zelf uitstapte voelde Signe hoe trots ze was, haar moeder lachte haar vader toe en hij glimlachte naar haar, ook haar broer leek tevreden, ze liepen samen de trap op en haar vader hield de deur voor hen allemaal open.

Signe en haar broer keken naar het speelgoed dat ingepakt in plastic aan een rek hing. Het was dan wel lang geleden dat ze met auto's hadden gespeeld, maar ze hadden hier een heleboel mooie, om de beurt wezen ze aan welke ze zouden willen hebben. Haar vader en moeder liepen een stukje verderop, het was fijn hen naast elkaar achter het winkelwagentje te zien lopen, de sterke hand van haar vader streelde haar moeder over de rug van haar jas. Haar moeder draaide zich om om iets uit een schap te pakken, iets lekkers hoopte Signe, ze zou willen dat haar vader en moeder verderop in de winkel zouden verdwijnen, ze moesten opgewekt zijn en spullen kopen waarvan zij niets wist, voorbereidingen treffen, verrassingen bedenken en als ze thuiskwamen moesten ze alles klaarmaken en Signe en haar broer, die beneden op hun kamer waren, met vrolijke stemmen roepen en als die dan boven-kwamen moesten ze dicht naast elkaar staan glimlachen. Kom eens kijken. Kom, kinderen. Dit hebben we voor jullie gedaan.

Haar broer vond een plastic bak met rubber ballen, de bak stond onder een plank verborgen, de ballen hadden felle, heldere kleuren en ze waren niet duur.

'Laten we vragen of we er een mogen', zei hij.

'Ik hoef niet', zei Signe, het werd misschien een beetje veel als ze allebei vroegen. 'Vraag jij maar', zei ze tegen haar broer.

Ze keek naar hem, ze had er behoefte aan dat hij haar aardig vond. Hij pakte een blauwe met groene stippels, hield hem in zijn hand, ze keek naar zijn hand, die mooie hand, en ze dacht aan Bosse in *Mio, mijn Mio*, die de gouden appel als een teken in zijn hand draagt en door dag en door nacht reist. Ze liepen tussen de schappen door, ze keek naar alle blikken en pakken met Finse woorden, alles was zo anders, bruine bonen, knäckebröd, alsof het veel lekkerder werd als het ergens in zat met opschriften in een andere taal.

Ze zag haar ouders verderop bij de vleesafdeling, een vrouw met gele krullen onder een witte muts en met een grote plastic bril pakte vlees voor hen in. Signe had haar al eerder gezien, ze was hier altijd. Haar ouders stonden zo dicht bij elkaar dat het jack van haar vader en de mantel van haar moeder elkaar raakten, haar vader zei wat ze wilden hebben, ze zag haar moeder knikken. Signe ging naar hen toe en keek in de kar. Daar lagen twee platte, witte pakjes met vleeswaren. Haar vader kreeg nog een paar grote, witte pakken over de hoge toonbank aangereikt, ten slotte wees hij op het warme, gegrilde vlees dat helemaal achteraan lag, de vrouw scheurde nog een groot stuk papier af en leunde met haar lange vork naar voren, haar vader wees aan welke stukken ze wilden hebben, Signe en haar broer stonden een eindje achter hem toe te kijken. Haar vader nam het pak aan, glimlachte naar de vrouw en legde het in de kar.

'*Kiitos.*' Hij vond het leuk om in het Fins te bedanken en in het Samisch te groeten als hij in een goede bui was. Ze kwamen langs de diepvriesafdeling, haar vader pakte drie bevroren kippen.

'Voor oudejaarsavond en zo', zei hij en hij keek haar moeder vragend aan.

Ze antwoordde niet.

Signe keek naar haar moeder, die stond naar haar vader te kijken, haar blik had iets stijfs. Signe zou willen dat haar moeder zou antwoorden, Signe keek naar haar vader, keek of er iets met hem niet in orde was, ze zag dat groene, dikke outdoorjack met de rode, opgerold liggende vos op zijn mouw. Zijn geruite overhemd met al die verschillende kleuren. Ze keek weer naar haar moeder. Die bleef daar met open mond staan, alsof de woorden die ze wilde uitspreken haar niet te binnen schoten. Haar vader en moeder keken elkaar aan, Signe zag de verandering in hun gezicht, in hun ogen, alsof de zon had geschenen en er toen een wolk voor was gegleden, zodat alles in de schaduw lag, plotseling was het overal donker. Haar moeder schudde langzaam haar hoofd, alsof ze iets niet kon geloven.

'Heb je geen trek in kip met oudjaar, mama?' vroeg Signe.

Haar moeder keek haar aan en slaakte een zucht.

'Jawel,' zei ze gelaten en ze keek weer naar haar vader, 'natuurlijk kunnen we kip eten met oudjaar', zei ze. Ze zweeg even voor het woord kip, alsof kip geen kip was, alsof kip niet een van de lekkerste dingen was die er bestonden als haar vader hem uit de oven haalde en glimlachte en het naar warme kruiden en vlees rook, dacht Signe, maar iets anders, zomaar iets doms, dwaas.

Haar vader liet de grote, bevroren klompen hard in de kar vallen, de laatste kletterde tegen de beide anderen aan. Hij pakte de kar en duwde hem naar voren, zodat haar moeder de rode greep losliet, plotseling losliet en met haar handen in de lucht bleef staan.

Nu is het er weer, dacht Signe. Nu is het weer terug.

Ze liepen naar de kassa. Haar broer had niets over de bal gezegd. Haar moeder pakte een doosje met grote, groene fondants en legde die in de kar, ze was de enige die ze at.

Haar vader pakte een ander zakje met snoep, karamelchocolade. Vraag nou om die bal, dacht Signe. Hij moest het vragen voordat haar vader het er druk mee kreeg de boodschappen op de band te leggen. Ze keek naar haar broer. Hij had de bal niet meer in zijn hand, hij stond in een Fins tijdschrift te kijken, bladerde erin en keek naar de foto's. Ze keek naar haar vader en haar moeder, die keken elkaar aan. Haar vader stond volkomen stil, hield haar moeder met die donkere ogen van hem vast, de oranje fles fris in zijn handen, toen wendde haar moeder haar hoofd af. Signe zou willen dat ze snel naar buiten konden, ze wilde niet dat er iemand die ze kende zou komen en hen zo zou zien.

Haar vader duwde de kar naar voren en legde de grote, witte pakken op de band, de vrouw glimlachte naar hem en sloeg de prijzen aan, misschien had ze niets gemerkt, dacht Signe, maar haar vader glimlachte niet terug, hij had zijn portefeuille voor de dag gehaald en stond daarmee in zijn hand te wachten. Haar moeder begon de boodschappen in te pakken, ze bewoog zich langzaam, alsof ze geen kracht meer in haar armen had. Haar vader betaalde, hij fronste zijn wenkbrauwen en Signe zag de rimpel tussen zijn ogen, misschien was het wel ontzettend duur geworden, dacht ze.

'Kom', zei hij en hij tilde de zware tassen op, haar moeder wilde er ook een pakken, maar hij nam hem haar met een ruk af. Signe en haar broer volgden hen naar buiten. Niemand zei iets.

Haar vader zette de tassen op de vloer bij de achterbank, ze stapten in, Signe gaf haar vader het warme pakje en hij maakte het open, de hele auto rook naar gegrild vlees. Hij heeft vast honger, dacht Signe, het wordt vast beter als we gegeten hebben. Haar moeder pakte een rol wc-papier uit het handschoenenvakje en gaf hen elk een stuk, toen keek ze naar buiten. Haar vader verdeelde het vlees, ze zeiden dankjewel. Ze begonnen te eten. Haar moeder bleef met het vlees in haar hand zitten, ze had het stuk waar Signe op had gehoopt, maar ze at er niet van, ze zat naar de weg te kijken, alsof ze het vlees en haar hand en haar hele arm die het vasthield vergeten was, alsof ze zich niet langer in de auto bevond, maar ergens anders.

Er reden andere auto's langs, een stukje verderop lagen nog een paar winkels en daarna begon de lange, verlaten weg, eerst door het lage berkenbos en dan, een stukje verder naar het zuiden, verschenen de eerste dennenbomen en werd het bos steeds dichter en hoger. Het liep vast helemaal door tot de Botnische Golf, maar zo ver waren ze nog nooit geweest. Signe en haar broer waren wel eens een weekend mee geweest naar Inari samen met een paar patiënten. Ze waren met het busje naar een groot meer gereden om te vissen.

Na een poosje legde haar moeder haar vlees op het dashboard bij de voorruit, ze maakte de fles fris open en nam een grote slok, daarna gaf ze hem door.

'Is dit niet lekker?' vroeg haar vader. Signe hoorde dat hij probeerde weer goedgehumeurd te zijn, maar het was maar een dun laagje.

'Ik geloof dat het het lekkerste vlees is dat ik ooit heb geproefd', zei Signe en ze keek naar hem in de spiegel.

Hij keek niet naar haar, hij keek alleen maar naar haar moeder, het leek alsof hij niet had gehoord dat Signe iets had gezegd. Haar moeder draaide haar hoofd om en staarde terug, met grote ogen, ze ziet er verbaasd uit, dacht Signe, alsof ze niet begrijpt wat er gebeurt, alsof niets van dit alles haar iets aangaat.

Signe wilde dat ze opnieuw konden beginnen, helemaal vanaf het begin, vanaf het moment waarop ze de winkel binnenstapten en alles nog in orde was, dan zou ze bij hen blijven en oppassen. En daarna zouden ze hier in de auto zitten, zoals nu, en in een vrolijke bui zijn.

Ze reden naar huis. Niemand zei iets. Signe keek uit het raampje, ze dacht aan de zomer en aan de lichtgroene kleur van het gras bij de rivier. Ze hield de prop papier in haar hand, ze probeerde haar hand met het papier erin zo dicht te knijpen dat je er niets meer van kon zien. Ze keek naar haar broer, die hield met zijn ene hand het boek vast, de andere had hij in zijn zak, ze zag dat hij hem bewoog. Dat is de bal, dacht Signe. Hij heeft de bal gestolen, hij heeft hem in zijn zak.

Haar moeder zat voorin te roken, de rook zweefde naar achteren naar waar zij zaten, ze besloot alleen met haar mond te ademen. Haar broer had zijn hand uit zijn zak gehaald, hij beet op een nagel, hij leek zich er niet van bewust te zijn, ze hoopte dat haar vader het niet zag in het spiegeltje. Signe dacht aan de koekjes, dat moest maar tot morgen wachten, dan kon ze misschien vanavond de recepten doornemen en alles plannen.

Plotseling schreeuwde haar vader: 'Ben je nu tevreden? Is het nu in orde? Ben je tevreden?'

Hij sloeg met zijn hand op het stuur, de auto slingerde. Het stuk vlees van haar moeder gleed van het dashboard en viel op de grond. Hij keek naar haar moeder, toen even naar de weg en toen weer naar haar moeder. Er kwam hen een auto tegemoet, hij wist hem nog net te ontwijken, ze zag dat haar moeder in haar stoel opzij dook.

'Ja,' zei haar vader, 'probeer je er maar aan te onttrekken, knijp je lippen op elkaar en hou je mond maar.'

Hij gaf nog een schreeuw. Toen remde hij plotseling, Signe en haar broer vielen naar voren op de achterbank, hij zwaaide naar de kant van de weg en de auto stopte.

Er waren daar geen huizen, het was er volkomen donker, er waren alleen bomen, een hele strook bomen tot aan de oever, dan kwam de rivier en dan aan de andere kant weer bos, daarachter lag de weg langs de andere oever, vervolgens had je weer een strook bos en dan kwamen de bergen, laag en wit. Zo was het overal. De verwarming ruiste. Haar moeder zat tegen het portier aan gedrukt. Signe wilde dat ze dat niet deed, ze moest gewoon blijven zitten, hij werd daar alleen maar boos van, begreep ze dat dan niet. Hij werd alleen maar nog bozer.

'*Niet slaan!*'

Haar vader zei het met een stem waarmee hij haar moeder nadeed.

'*Alsjeblieft, sla me niet.*'

Signe wilde het niet horen, maar ze kon haar handen niet tegen haar oren houden, ze moest gewoon blijven zitten, alles was gewoon, doodstil blijven zitten en je niet bewegen, gewoon afwachten tot het voorbijging, ze moest ademhalen zonder dat iemand het merkte.

'Wat is dat voor toneelspel van jullie tweeën', zei hij.

Hij draaide zich om naar de achterbank. Hij bedoelde haar moeder en haar broer.

'Haal die duim uit je mond en laat zien wat je daar in je zak hebt.'

Haar broer haalde de blauwe bal tevoorschijn, hij bleef in de opening van zijn broekzak vastzitten, maar ten slotte lukte het hem eruit te halen, de groene stippels glansden in het donker. Haar vader sloeg met zijn vuist tegen de stoel van haar moeder, Signe zag hoe die schrok, aan haar grote, bange ogen.

'Wat een godgeklaagde ellende', zei hij. 'De een doet alsof ze een autoritje maakt met een idioot en de ander bijt de toppen van zijn vingers. Wat is dit voor een spelletje? Wat willen jullie mij laten geloven?'

Hij haalde adem, hij haalde een paar maal diep adem tot in zijn buik terwijl hij recht voor zich uit naar de weg keek, het licht van de schijnwerpers kleurde de sneeuw geel, dat met zijn adem was een techniek die hij Signe had geleerd, ademen is leven, had hij gezegd, en je moet het leven naar binnen zuigen, tot in elk hoekje van je lichaam. Lucht heeft met de geest te maken, Signe, met je ziel, je moet zo inademen, had hij gezegd en hij had zijn hand op zijn buik gelegd en die met lucht gevuld, zodat het eruitzag alsof hij zwanger was.

Toen draaide hij zich weer naar hen om, hij klonk wat rustiger nu.

'Wat is dit hier? Wat is er aan de hand? Ik voel me zo ongelooflijk verdrietig worden,' zei haar vader, 'ik word hier zo godsgeklaagd verdrietig van. Zulke fijne mensen als we zijn.'

Hij keek in de spiegel naar Signe, ze probeerde naar hem te glimlachen, glimlachte met haar lippen op elkaar geklemd terwijl ze knikte. Ze had koude vingers. Het was waar dat ze fijne mensen waren.

'Wat is er aan de hand?' vroeg haar vader. 'Ik begrijp het niet. Ik begrijp jullie moeder niet.'

Zijn stem werd weer luider, het was alsof iets er woede in blies, blies en blies tot een punt waarop de stem ging trillen, en dan knapte hij en liep leeg, om daarna weer vol geblazen te worden.

'En jij,' zei hij en hij draaide zich om naar haar broer, zijn stem klonk iets rustiger, 'ik geloof niet dat de eigenaar van de winkel armoede lijdt. Maar jij wel,' zei haar vader, 'dit gaat ten koste van jezelf. Van wie je bent. Wie je zult worden. Als je hebt gestolen, gelogen, mensen hebt belazerd dan blijft dat in je zitten. Het verdwijnt niet, maar het hoopt zich op. En zonder dat je het merkt, zonder dat je eraan denkt of het wilt of het van plan bent, ligt zo'n handeling in je als een zaadje en heeft invloed op wat je in de toekomst zult doen. Iets in je zegt je dat je een dief bent. Iets wat je zelf niet merkt, maar dat er is en invloed op je uitoefent, een fluisterend stemmetje vanbinnen: Ik ben een dief, zegt het. Ik ben een dief.'

Dat laatste fluisterde hij en toen haalde hij adem.

'Het lijkt maar een bagatel,' zei haar vader, 'het lijkt een kleinigheid. Het is maar een bal, denk je, alleen maar een bal en je houdt hem in je hand en steekt hem in je zak.'

Hij zweeg en keek voor zich uit naar de weg.

'Maar ik heb zulke types gezien', zei hij met harde stem.

Toen begon hij te lallen, hij stak zijn tong uit zijn mond en liet zijn hoofd van de ene kant naar de andere vallen, alsof hij een patiënt was.

'Ik heb zulke types gezien die dachten dat er een weg terug was.'

Signe wist dat hij de mensen in de inrichting bedoelde.

'Dat is namelijk het wanhopige,' zei haar vader, 'er is geen weg terug.'

Hij schreeuwde: 'Er is geen weg terug!'

Toen sprak hij weer zachtjes: 'Het is te laat om spijt te hebben.'

Hij zei het zacht met nadruk op elk woord: 'Het is te laat.'

Haar broer keek naar zijn handen.

'Voor altijd!' brulde haar vader.

Hij keek naar haar moeder. Ze staarde terug. Zo had Signe haar nog nooit gezien: ze had haar mond open alsof ze iets wilde zeggen, maar geen lucht kreeg, schudde alleen maar langzaam haar hoofd heen en weer, draaide het van de ene kant naar de andere en weer terug.

'Is dat wat we willen? Willen we dieven en leugenaars zijn?' vroeg haar vader.

Eerst zei niemand iets. Signe bedacht dat iemand moest antwoorden, voordat hij weer zou gaan schreeuwen.

'Nee', zei Signe.

Het leek niet alsof hij het hoorde.

'Nou?' vroeg haar vader en hij keek naar haar broer.

'Nee, papa', zei haar broer.

Haar vader keek naar haar moeder. Zo te zien verwachtte hij van haar geen antwoord, hij keek alleen maar. Haar moeder keek terug, ze zat in een hoekje van haar stoel tegen de deur aan gedrukt.

Ze waren laat naar bed gegaan na die lange tocht naar het Sommervann, ze was direct in slaap gevallen, maar toen was ze weer wakker geworden, alsof ze ergens ver weg een bel hoorde rinkelen. Misschien zijn het de onderaardsen wel, had Signe gedacht, waar Henning over had verteld, en lokten en riepen die haar. Ze rinkelden met een bel als er iemand ging sterven. Stil had ze het onzevader gebeden om ze op afstand te houden, ze bad dat Hij hen zou beschermen. Ze had naar die smalle berken-stammetjes liggen kijken, de schors was afgebladderd, ze zag de sporen van een mes, vast dat wat haar vader aan zijn riem had, ze keek naar de kleuren van de berken in het vale licht dat door het raam binnenviel, dat was bijna helemaal door takken en heide bedekt, buiten bleef het de hele nacht licht, ze zag het vuur dat was uitgegaan en het vennetje daarachter, leeg en verlaten. Ze bleef stil in haar slaapzak liggen, opdat die niet zou kraken, ze keek naar al die verschillende bruine tinten, en toen naar de rode. Onder het schors was het rood en de aarde tussen de stammen was zwart.

Het was lang geleden dat er geluiden waren geweest, ze luis-terde naar hun ademhaling, ze had gehoopt dat ze snel in slaap zouden vallen. De dag daarna zou vast de zon schijnen, had Signe gedacht, als ze nu maar sliepen en uitrustten. Haar vader zou wakker worden en glimlachen. Kom, Signe, zou hij zeggen. Hij zou zijn arm helemaal om haar heen slaan en met de andere zou hij haar op de wolken wijzen en de diepblauwe hemel. Vandaag bijten ze, zou hij zeggen, dat staat in de almanak en dat heb ik vannacht gedroomd, ik droomde dat ik bij het meertje was en dat ze naar de oppervlakte kwamen, Signe. Het was vol vis! Zijn ogen zouden stralen, dacht ze, zoals wanneer hij blij was. Ze dacht aan zijn blik over het meer, daar ver weg, en hij zou sterk en stil zijn en alles zou in orde zijn en hij zou daar in de verte blijven staren en zij zou naar hem kijken terwijl hij keek en hij zou zeggen: 'Hier heb ik de hele winter van gedroomd.'

Haar vader vroeg of iemand naar huis wilde lopen. Niemand antwoordde. Signe keek tussen de stoelen door naar zijn gezicht. Hij deed het portier open en stapte uit, ze zag hem om de voorkant van de auto heen lopen naar de kant waar haar moeder zat, hij deed het portier open.

'Eruit!' zei hij.

Haar moeder verroerde zich niet, ze zei niets. Ze had zich omgedraaid, ze lag zo ver mogelijk van de deur af, ineengedoken, volkomen verstijfd. De binnenverlichting brandde.

'Maak dat je eruit komt', brulde hij.

Hij pakte haar bij haar arm, maar ze draaide zich om. Haar vader liep weer om de auto heen en gooide het portier bij haar broer open.

'Wil jij naar huis lopen?' vroeg hij hem.

Signe kon haar vader niet zien, zag alleen zijn open jack en het geruite overhemd, zijn riem, zijn broek. Ze keek naar haar broer, de tranen stroomden hem over de wangen. Het werd koud in de auto met aan beide kanten het portier open. Haar vader stond volkomen stil, haar broer zei niets, ze zag de tranen op zijn Donald Duck-boek druppelen en dat was niet eens van hem. Signe boog zich voorover en keek naar buiten naar haar vader.

'Papa,' zei ze voorzichtig, 'papa, we willen niet gaan lopen.'

Hij antwoordde niet.

Ver weg zag ze de lichten van een auto die hen tegemoetkwam. Als er nu iemand langskwam terwijl zij het binnenlicht aan hadden, dan zouden ze zien dat zij het waren, misschien zouden ze denken dat ze problemen met de auto hadden, ze zouden stoppen om te helpen. Ze zou willen dat haar vader weer instapte. De mensen zouden er niets van begrijpen, dacht Signe. Niemand kon begrijpen hoe dat met hun gezin zat, hoe blij ze waren als ze blij waren, hoe fijn het was als het fijn was. En dat het weer beter zou worden. Als haar vader en haar moeder nu maar met elkaar zouden praten, dan zou het weer beter worden. Misschien werd dan alles weer goed.

Er klonk een geluid van haar vader, het klonk net als wanneer de hond jankte, hij sloeg het portier bij haar broer dicht. Hij stapte in, haar moeder draaide zich om en trok het portier aan haar kant dicht. Het werd donker in de auto. Signe wreef haar handen stil langs haar bovenbenen om ze te warmen, de auto verderop kwam dichterbij.

Haar vader zwaaide met een ruk de weg op, ze vielen opzij. Hij gaf gas, Signe keek naar voren naar de naald die omhoog zwaaide en boven de negentig uitkwam. Haar moeder drukte zich naar achteren in haar stoel, Signe keek naar het bruine haar en de witte nek daaronder.

Ze keek in het licht van de koplampen voor de auto. Het

duurde niet lang meer, dan waren ze thuis. Misschien is er wel een brief voor me, dacht ze, misschien ligt er een brief op me te wachten, thuis in de keuken, ze zag het zo duidelijk voor zich dat ze ervan overtuigd was dat er iets zou liggen.

H aar moeder stond in de deuropening van haar kamer. Signe zat in bed een boek te lezen, ze keek op. De ogen van haar moeder waren opengesperd, ze zag volkomen bleek, haar pony was een donkere streep.

'Signe', zei ze.

'Ja, mama.'

Haar moeder had haar sjaal strak om haar hals geknoopt, het was een lichtblauwe. Signe keek naar de sjaal, toen keek ze weer naar de ogen van haar moeder. Ze wilde niet dat haar moeder zich eenzaam zou voelen. Ik ben bij je, mama, wilde ze zeggen. Maar dat was niet waar. Af en toe ging ze ergens naartoe, dan was ze er niet. Er kon iets gebeuren als ze er niet was.

Haar moeder zei niets, ze bleef midden in de deuropening staan, ze had haar donkerblauwe broekpak met de rits aan.

'Wat is er, mama?' vroeg Signe.

Ze wilde dat haar moeder iets zou zeggen of weer weg zou gaan, zodat ze verder kon lezen.

'Je moet niet denken', begon haar moeder.

Ze zei het zachtjes, alsof ze niet wilde dat haar broer of haar vader het zou horen. Toen kuchte ze, kneep haar ogen ietsje dicht en fronste haar voorhoofd, bracht haar hand naar haar haar, bracht het in orde.

'Wat moet ik niet denken?' vroeg Signe.

Haar moeder keek haar aan, toen was het alsof er iets in haar ogen veranderde. Signe bedacht dat ze niet zo ongeduldig had moeten zijn. Haar moeder deed haar mond weer open.

'Je moet niet denken dat ik het niet probeer.'

Haar moeder sprak langzaam, alsof ze wilde horen wat ze daar eigenlijk zei. Signe probeerde naar haar te glimlachen. Ze knikte, ze wilde laten zien dat ze begreep wat haar moeder bedoelde.

'Misschien zou je iets moeten ondernemen', zei Signe.

Haar moeder zuchtte: 'Wat dan, ondernemen?'

Ze zei het zachtjes, zodat het nauwelijks te horen was. Signe wist niet precies wat. Haar moeder had daar vast zelf al aan gedacht, wat je kon doen, ze werkte immers bij het maatschappelijk werk, ze wist het vast beter dan Signe.

'Met iemand praten misschien, iemand anders, iemand die kan helpen.'

Haar moeder liet een kort lachje horen, ze keek Signe aan, lang.

Er verscheen iets donkers in haar ogen.

'Signe', zei ze langzaam. Ze boog haar hoofd en keek Signe vanonder haar pony in de ogen, ernstig: 'Heb jij er met iemand over gepraat?'

Signe voelde dat ze bang werd.

'Heb je dat, Signe? Heb jij er met iemand over gepraat?'

Haar stem klonk scherp. Signe schudde haar hoofd. Ze wist dat ze daar niet over mocht praten. Niemand mocht iets te weten komen. Dan kon alles kapotgaan, barsten en uit elkaar vallen, het hele gezin, alles. Want niemand anders begreep hoe het was, niemand, dit was anders. Haar moeder keek haar aan, wachtte tot ze zou antwoorden.

'Nee,' zei Signe, 'ik heb er met niemand over gepraat.'

'Weet je dat heel zeker?' vroeg haar moeder, haar ogen waren tot spleetjes vernauwd.

'Ik heb er met niemand over gepraat, eerlijk niet', zei Signe.

Haar moeder bleef haar lang aankijken, alsof ze niet wist of het waar was wat Signe zei. Signes ogen vulden zich en haar keel werd dichtgesnoerd, zodat ze nauwelijks adem kon halen, ze schudde haar hoofd om het nog een keer te zeggen, ze wilde dat haar moeder haar zou geloven, ze had het nooit, nooit tegen iemand verteld, nooit iets gezegd. Ze was niet zo iemand die alles rondvertelde, dat wist haar moeder toch wel. 'Echt waar, mama, dat weet je toch wel.'

'Goed zo', zei haar moeder.

Ze zuchtte, toen draaide ze zich om en ging weg.

Signe hoorde haar voetstappen op de trap, het washok in, het deksel van de wasmachine dat werd opgetild, het geluid van de trommel, die klik als hij werd opengemaakt. Ze hoorde de Pac Man-geluiden uit de kamer van haar broer, ze zag dat gele figuurtje op het beeldscherm voor zich als hij genoeg kracht had verzameld en een tijdje spoken kon eten. Signe dacht aan het soort films waarin ze hun eigen geluiden opnemen en af laten draaien als ze niet thuis zijn. Boven zich hoorde ze haar vader een pagina van de krant omslaan. Hij zat in de leren stoel met de krant voor zich op het voetenbankje, hij zat op de rand van de stoel, voorovergebogen, zo las hij hem altijd. Ze hoorde hoe de hond zich boven omdraaide, hoe ze half overeind kwam en op haar andere zij ging liggen. Signe pakte haar boek weer op. Ze wist niet meer waar ze was gebleven, het boek was dichtgevallen, ze moest even zoeken voordat ze verder kon lezen.

Morgen is het de dag voor kerstavond, dacht Signe. Dan zal ik de hele dag kerstkoekjes bakken. Ze dacht eraan hoe blij haar ouders zouden zijn als ze thuiskwamen en alle koekjes zagen, ze dacht aan de opluchting op het gezicht van haar moeder, dan zou het toch nog kerst worden. Ze poetste haar tanden, riep welterusten, kleedde zich uit en ging naar bed, de hond kwam naast haar liggen, Signe zei welterusten tegen haar en ging op haar buik liggen. Ze probeerde aan alles te denken waar ze zich op verheugde. Ze keek naar het hout van het hoofdeinde. Ze deed haar ogen dicht. Ze had op haar buik in haar slaapzak gelegen en naar de berkenstammetjes gekeken. Nee, dat niet, niet nu. Ze probeerde er liever aan te denken hoe de hut was gebouwd. Toen haar vader hem had overgenomen was het nog een rookhut geweest met een gat in het dak en een vuurplaats in het midden. De eerste winter had hij op de slee een houtkachel meegesleept. De zomer daarna had hij het raam de bergen in gezeuld, zodat er licht binnen kon vallen. Hij had de plaggen eraf gehaald en op een hoop gelegd. Toen had hij de oude, verrotte palen eruit gerukt. Hij had bomen omgehakt, had lange tochten gemaakt om ze ergens anders te vellen, zodat er geen open plek rond de hut ontstond.

'Niemand mag hem vinden,' had hij gezegd, 'als het oorlog wordt mag niemand weten dat hij bestaat.'

Hij glimlachte, hij droeg geen overhemd, de muggen konden hem niets schelen, het zweet stroomde over zijn bruine rug. Toen zette hij de nieuwe stammetjes neer. Dat was vóór die lange wandeltochten, die zomer dat haar vader aan de hut had gewerkt maakten ze niet veel wandelingen, haar moeder was in het dorp gebleven om te werken, Signe en haar broer visten in de diepe rivier vlakbij. Als het warm was zwommen ze in een poel in de rivier, die net een meertje was, daar was de stroming niet zo sterk, aan de ene kant hingen er berkjes over de oever, net als in de jungle, dacht Signe, en aan de andere kant was een kleine inham met een zandstrandje.

Toen haar vader alle stammetjes had neergezet, hielpen ze hem met mos en heide de kieren te dichten. Ze legden de oude plaggen er weer overheen, maar er waren er niet genoeg. Ze trokken de grote vlakte op. Daar staken ze nieuwe vierkantjes grond, met een schop. Vlak daaronder was zand. Ze droegen de plaggen de steile helling af en door het bos naar de hut. Ze moesten vaak weer terug, de hut werd bruin van de aarde. Nu stond het bos er dicht omheen, elk jaar een beetje meer, de heide groeide al langs de muren. Nu is de hut net een deel van de aarde, dacht Signe. Op het dak groeit een boompje.

Signe stond onder de adventsster en zag ze wegrijden. Eerst haar moeder in haar kleine auto, toen haar vader in zijn grote, lage. Haar broer lag nog te slapen. Ze keek naar de hond. Die zat met haar kop schuin naar haar te kijken, alsof ze vroeg: Wat nu? Signe glimlachte naar haar en ze stond op en kwam naar haar toe, bleef toen kwispelend staan.

'Nu zijn we alleen,' zei ze tegen de hond, 'nietwaar?'

De hond piepte ten antwoord.

'Helemaal alleen en nu gaan we koekjes bakken.'

Ze zei het met een blijde stem en de hond werd daar zo door aangespoord dat haar hele lijf ervan schommelde, van de ene kant naar de andere, ze sprong tegen haar op als om met haar te praten, haar kop vlak bij Signes gezicht.

'Kom, dan gaan we naar de keuken.'

De hond liep achter haar aan, zwiepte met haar staart tegen de meubelen waar ze langskwamen, in de keuken bleef ze naast haar staan en keek toe wat Signe deed, alsof ze op een commando wachtte.

'Ik had een bakkersmuts voor je moeten hebben, dat zou je zo goed staan.'

De hond keek haar aan en kwispelde een paar keer met haar staart alsof ze het met haar eens was, toen ging ze zitten. Signe haalde het kookboek uit de la en zocht het recept voor kerstkransjes op. Het zag er moeilijk uit, je moest eerst verschillende dingen doen met delen van het deeg en ten slotte moest alles door elkaar geroerd worden, dan moest je het een tijdje koud laten staan, dan kransjes vormen en die met boter bestrijken en voordat ze de oven in gingen moest je er suiker overheen strooien. Als haar moeder thuiskwam zouden de koekjes kant-en-klaar in het grote blik liggen met bakpapier tussen de verschillende lagen, zoals ze dat de moeder van Inga had zien doen.

Signe pakte eieren en boter, meel en suiker. Een pan, een kom, de garde en lepels. Ze zei bij zichzelf dat ze zo moest denken als op school, gewoon beginnen, stapje voor stapje alle handelingen verrichten. Ze liet de boter smelten, bleef staan kijken hoe de gele klont verdween. Ze keek uit het raam. Ze zag zichzelf in de ruit. Ze stelde zich voor dat ze iemand anders was die haar zag, ze was de man die op een dag zo naar haar zou kijken. Hij zou vriendelijke ogen hebben en een baard. Sta je daar, mijn kind, zou hij zeggen. Hij zou naar haar toe komen en zijn armen om haar heen slaan terwijl ze bij het fornuis stond, hij zou zijn baard en zijn mond in haar haar duwen en haar zachtjes heen en weer wiegen.

Ze pakte de pan met de boter van de plaat, zette die af. Ze woog het meel af in een kom. Van de zomer hadden ze brood gebakken op een steen bij het vuur. Kleine, platte broden met roetvlekken. Zij en haar vader. Haar vader had het meel mee-gebracht, zij had het deeg gemaakt. Het was ontzettend lekker geworden. Haar moeder had vlakbij gezeten met haar breiwerk en geglimlacht. De zon stond recht boven hen. Het was volko-men licht geweest. Bij het vuur was het zo licht dat de vlammen wit waren. Ze was wakker geworden van de geluiden. Het was niet donker in de hut, ook al was het midden in de nacht. Haar broer sliep. Signe lag in haar slaapzak met haar gezicht naar de muur. Ze keek naar de berkenstammetjes. De bruine kleuren. De aarde. Ze hoorde haar vader slaan. Korte meppen. Zijn door-dringende stem, fluisterend. Haar moeder die huilde. Ze had het al zo vaak gehoord, maar normaal gesproken gebeurde het nooit in de hut. In de hut was het anders geweest. Was het hier nu ook al, had ze gedacht. Ze had gedacht dat het hier niet zou gebeuren, in de hut was iedereen gelukkig. Zou er nu geen enkel vredig plekje meer zijn? Het werd stil. Nu houdt hij op, had ze gedacht. Nu wordt het rustig. Het rode licht van de zon viel door het raam naar binnen. Als ze nu maar konden slapen en uit konden rusten. Ze lag stil te luisteren. Nu zouden ze vast gauw in slaap vallen. Toen hoorde ze een geluid. Voorzichtig draaide ze zich om. Keek naar hen. Hij zat boven op haar moeder. Die bruine rug, hij hield zijn handen rond haar keel, haar moeders gezicht was rood aangelopen. Signe bewoog zich in haar slaapzak, maakte geluid, ging rechtop zitten om te laten merken dat ze niet sliep. Ze wilde iets zeggen, zodat ze zouden begrijpen dat ze wakker was. Dan zou hij wel ophouden, had ze gedacht. Ze vroeg zachtjes hoe laat het was. Ze gaven geen antwoord. Haar vader liet niet los, hij leek volkomen buiten zichzelf. Als ze haar hand uitstrekte kon ze hen aanraken. Ze ging weer liggen. Lag op haar rug, volkomen verstijfd. Ze had zich afgevraagd wat er zou gebeuren als haar moeder dood zou gaan. Dan moest haar vader terug naar het dorp om hulp te halen. Er zou een helikopter komen. Haar vader zou naar de gevangenis gaan. Zij en haar broer zouden naar een kindertehuis moeten. Ze dacht aan de hond, of je die mee mocht nemen. Misschien waren honden in het kindertehuis niet toegestaan, misschien zouden ze de hond van haar afpakken, misschien zouden ze haar doodschieten. Ze dacht eraan dat de hond misschien dood zou gaan, dat ze er niet meer zou zijn, haar niet meer kwispelend tegemoet zou komen rennen. Er niet meer was. Het lukte haar niet zich dat voor te stellen. Alles werd leeg, zwart. Het lukte niet zich voor te stellen dat de hond er niet meer zou zijn.

Z e hoorde haar broer de deur van zijn kamer opendoen, hij ging naar de badkamer, na een poosje hoorde ze de wc, het water uit de kraan. Hij kwam de trap op. Hij liep regelrecht naar de piano en begon te spelen, een wals, veel moeilijker dan Signe die kon spelen. Hij speelde de wals in mol die met een heel hoge toon begint, alsof je op een hoog bergplateau staat en over een eindeloze vlakte uitkijkt, of langs een steile bergwand in een afgrond kijkt en dan valt, de toon wankelt en valt naar beneden, stort de afgrond in. En dan ben je weer boven, loop je daarboven langs de rand van de afgrond te hollen, dacht ze, maar dan, uiteindelijk, stort je toch weer naar beneden.

Ze had het deeg voor de kerstkransjes klaar, het zag er mooi uit, ze haalde er een klompje uit voor haar broer en zette het toen in de koelkast.

'Signe', riep haar broer plotseling vanuit de kamer, hij hield op met spelen.

'Ja', antwoordde ze.

'Morgen is het kerstavond!'

Signe werd zo blij toen ze hoorde dat hij zich zo verheugde.

'Ja,' zei ze, 'dat weet ik.'

'Ik was het vergeten', zei haar broer.

Signe glimlachte bij zichzelf, dat was typisch voor hem, hij kon zomaar van alles vergeten. Haar broer kwam de keuken in en deed de koelkast open.

'Wat is dit?' vroeg hij en hij haalde de kom met het deeg eruit.

'Deeg,' zei Signe, 'voor kerstkoekjes.'

Ze gaf hem het klompje dat ze eruit had gehaald, hij stak het hele stuk in zijn mond, hij kon het nauwelijks kauwen.

'Zullen we samen de rest van de koekjes bakken?' vroeg Signe.

'Mm', zei hij met zijn mond vol.

Hij dronk een glas water. Signe keek uit het raam. Bij de monding van de rivier zag ze een streep licht, net als het wit onder in het oog van iemand die slaapt.

Ze zeiden niets, werkten prima samen zonder te praten. Dat is omdat we op dezelfde manier denken, we hebben dezelfde soort intelligentie, dacht Signe, doen dingen op dezelfde manier, hebben dezelfde sterke wil. Ze maakten deeg voor kokosmakronen, haar broer was zo nauwkeurig, alles werd zo precies gedaan als hij erbij was, hij weegde alles zo af dat er een rechte streep ontstond, ze lachten om het meel dat over de tafel wolkte. Zijn lange vingers als hij een ei kapotsloeg op een rand en het in twee perfecte helften verdeelde.

Het was warm in de keuken, buiten was er een beetje roze aan de hemel verschenen. De weerschijn van kerststralen, dacht Signe, God die versiering voor ons aanbrengt. Ze glimlachte, voelde dat haar hele gezicht glimlachte, haar wangen waren warm, ze rook aan haar vingers, die roken lekker naar boter en meel, ze likte aan haar duim en keek op de thermostaat.

De oven was warm, ze hadden drie platen met kleine, dunne kransjes gemaakt, haar broer bestreek ze met boter en Signe volgde met de suiker, die ze er voorzichtig overheen strooide, vlak boven de glanzende oppervlakte. Haar broer schoof het eerste blik erin. Ze gingen elk op een stoel zitten en keken alleen naar de oven, alsof het een open haard was, of een vuur.

'D at wordt een verrassing', zei Signe.

Haar broer knikte. Hij legde de kransjes een voor een in het wijde, ronde blik waar ze de koekjes voor kerst altijd in bewaarden. Onderin een laag koekjes, dan bakpapier, dan weer een laag koekjes, dan weer papier en dan weer koekjes.

Signe veegde met een doekje de tafel schoon. Ze hadden ook kokosmakronen gebakken, één blik was een beetje aangebrand, maar alle andere waren licht en mooi geworden. Twee soorten, dacht Signe, twee soorten kerstkoekjes. Dat zou een fijne avond worden, nu hoefden ze alleen nog maar de kamer te versieren. Alles stond in de blauwe kartonnen dozen op zolder, ze hoefden het alleen maar tevoorschijn te halen, dat zouden ze kunnen doen, zij en haar broer, maar haar moeder was zo bang voor de witte gipsfiguurtjes van de kribbe, van verschillende ervan was het hoofd afgebroken en weer aangelijmd en ze wilde niet dat er nog meer kapotgingen.

De keuken was schoon, ze hadden samen afgewassen en haar broer had met een droge doek de aanrecht opgewreven, zodat hij glansde. Het zag er overal keurig opgeruimd uit, de twee blikken met kerstkoekjes stonden open op de aanrecht. De koekjes moesten uitwasemen, had haar broer gezegd, dat hadden ze op school geleerd. Als ze de auto van haar moeder of haar vader hoorden, zouden ze de deksels erop doen en de blikken wegzetten, na het eten zouden ze ze tevoorschijn halen om te laten zien. Haar moeder zou niet zo moe worden en haar vader zou trots zijn dat ze helemaal uit zichzelf samen iets hadden gedaan, dat betekende dat ze om elkaar gaven en elkaar hielpen, dat ze zich verantwoordelijk voelden voor het gezin.

Als je een gezicht van heel dichtbij ziet, is het net een landschap, dacht Signe, ze hield haar neus tegen de ruit gedrukt, dacht aan haar moeder, een keer in de bergen had ze haar gezicht van heel dichtbij gezien, een keer dat ze even hadden gerust, ze had de ogen van haar moeder gezien en de welving van haar wangen, net de welvingen van de hoogvlakte die tot in de verte doorliepen, het trieste in die ogen was het ijskoude water van de beek, het haar was de heide en haar woorden waren mist en regen en wind en het stille licht, wit en grijs en gewoon, zo dat je het niet merkt, het ligt gewoon te wachten, dacht Signe, alsof het erop wacht dat er iets gaat gebeuren.

Er vloog een sneeuwbal midden tegen het keukenraam. Signe schrok. Ze keek naar de weg, het was Henning, hij zwaaide met zijn armen, Signe zwaaide dat hij binnen moest komen. Ze hoorde zijn voetstappen langs de muur, wiegend van de ene voet op de andere, de vaste greep aan de deurklink, hard gestamp met beide voeten om de sneeuw los te schoppen, toen kwam hij binnen, de hond kwam haar halen om hem tegemoet te gaan, liep achter haar aan, wilde erbij zijn om hem te begroeten.

'Het is Henning', zei Signe zacht tegen haar, de hond sprong tegen haar op en piepte en kwispelde.

'Ja, dat is Henning', zei Signe met een tedere stem in haar vacht, ook zij voelde zich ontzettend blij.

Ze gingen alledrie naar beneden naar Signes kamer, ze maakten geintjes, ze haalde het boek uit de la. Haar broer lag op haar bed, Henning zat op de stoel naast het kastje, Signe zat op de grond tegen de klerenkast geleund. Ze las het verhaal van de vrouw en de man in het bos voor. Ze begon te lachen bij dat kezen als een konijn. Ze lachten alledrie. Henning maakte rare grimassen met zijn gezicht en zijn mond, hij beet snel met zijn tanden op elkaar, zodat hij eruitzag als een konijn en hij sprong in de kamer rond, ze lachte tot ze pijn in haar buik kreeg.

'Kom, we gaan haar kietelen', zei haar broer en toen moest ze bijna huilen van het lachen, ze schopte naar alle kanten, maar ze hielden haar vast.

Plotseling stond haar vader in de deuropening. Ze hadden hem niet horen aankomen, ze hadden de auto niet gehoord. Zonder iets te zeggen bleef hij naar hen staan kijken. Het boek met de grote borsten op de voorkant lag bij de deur vlak bij zijn voeten, Signe zag dat hij het zag, zijn ogen vernauwden zich tot spleetjes, hij keek weer naar hen, Signe lag op haar rug tussen haar broer en Henning in, die zaten elk op hun knieën naast haar, ze waren rood aangelopen en hun haar zat in de war.

Op het moment dat hun vader was verschenen was Hennings mond vlak boven de hare geweest, ze had zijn adem gevoeld, zijn lippen hadden de hare bijna beroerd, heel teder. Haar vader bleef Signe maar aankijken, alsof hij haar van heel ver weg zag en ze een kleine stip was, langzaam schudde hij zijn hoofd, hij zei niets, toen draaide hij zich om en ging weg.

Henning keek glimlachend naar haar broer, maar die glimlachte niet terug en Signe bleef naar het plafond liggen kijken, ze zag de kieren tussen de witte platen, het waren net enorme bakstenen, zoals de muren als ze huizen tekende, de kieren versprongen steeds een plaat, zodat er een regelmatig patroon ontstond. Henning boog zich op zijn knieën zittend naar voren en pakte het boek. Hij stond op.

'Misschien is het beter dat ik ga', zei hij.

Hij zwaaide een keer met het boek in zijn hand, glimlachte even, toen haalde hij zijn schouders op, alsof hij het ook niet goed wist, maar zich ervoor wilde verontschuldigen als ze moeilijkheden zouden krijgen. Niemand zei iets. Hij liep door de gang en ging de trap op. Hij trok zijn jas aan. Signe en haar broer zaten op de grond in haar kamer, ze hoorden de buitendeur dichtslaan, het geluid van zijn laarzen buiten in de sneeuw, hoorden hem weglopen.

Signe bleef op haar rug op de grond liggen, haar broer ging naar zijn kamer, het was alsof ze wachtte op het geluid van iets wat zou vallen, iets wat met een enorm lawaai op de grond zou storten, een lawine. Ze luisterde. Het schoot haar te binnen dat ze de blikken niet hadden weggeruimd, nu had het geen zin meer, het was verpest. Ze hadden het zelf verpest. Ze verwachtte dat haar vader de trap af zou komen. Die zware voetstappen. Wie was ze eigenlijk. Wie dacht ze dat ze was. Wie wilde ze zijn. Speeksel als kleine pijlen uit zijn mond, kleine bliksemschichten.

Ze hoorde de auto van haar moeder de bocht om komen. Hij kwam dichterbij, een laag, regelmatig geronk. Hij draaide de oprit naar het huis op. Nu stonden de auto's naast elkaar. De grote en de kleine. Pauze, dan het geluid van het portier dat dichtsloeg. De voetstappen langs het huis, op de stoep. De buitendeur, het geluid van boodschappentassen die op de grond werden gezet, de hond die kwam kijken wie daar was. Ze hoorde de voetstappen van haar vader door de kamer naar de trapleuning, kortaf een paar woorden naar haar moeder. Signe wist hoe haar moeder eruitzag. Ze stond zonder iets te zeggen omhoog te kijken naar haar vader, haar lippen op elkaar geklemd.

Signe deed de deur van haar kamer dicht en zette een plaat op. Ze zag hem ronddraaien. Ze zette hem harder. Ze hoorde geen geluid. Het was volkomen stil, de plaat draaide in het rond. Ze zag haar eigen gezicht in het raam, het haar dat aan weerszijden steil naar beneden hing. Door de bril leek ze net een kikker.

H aar vader riep hen. Ze zette de stereo-installatie uit, op weg naar boven hoorde ze haar broer zijn kamer uit komen. Er stond een kerstboom bij de buitendeur, onder aan de stam en op de onderste takken zat sneeuw. Signe voelde hoe blij ze werd toen ze hem zag. Die moest haar vader meegebracht hebben. Nu zou het weer goed komen tussen haar ouders en dan werd het rustig en ze zouden lachen terwijl ze hem optuigden, en misschien had haar moeder wel wat lekkers gekocht, of Signe kon wafels bakken, ze zag haar broer voor zich, hoe hij grote, dikke stukken marsepein at, ze in zijn mond propte terwijl hij met iets anders bezig was, alsof hij het niet merkte.

Ze dacht aan de drie grote kerstballen met afbeeldingen erop, die eruitzagen alsof ze nog van vroeger waren, dat waren de mooiste die ze hadden, ze zou ze zo ophangen dat ze alledrie zichtbaar waren, maar ze moesten een stukje uit elkaar hangen, ze wist precies hoe het eruit zou zien. Ze sprong de laatste treden op en kwam in volle vaart de keuken binnen.

Haar moeder zat met haar rug naar haar toe, ze had een brandend shagje tussen haar vingers. De blikken met koekjes waren opzijgezet, maar er zat nog geen deksel op. Niemand zei er iets van. Signe ging op haar plaats zitten, ze keek van opzij naar haar moeder, die keek recht voor zich uit, met stijve blik. Signe keek even onder tafel naar de hond, maar die was er niet.

Plotseling werd ze bang dat haar vader haar had afgemaakt, mee het bos in had genomen en had doodgeschoten. Ze zei niets. Haar broer kwam binnen en ging zitten. Haar vader zette de grote, zwarte pan op tafel en stak toen de vier adventskaarsen aan. Ze bogen allen het hoofd en zongen, de stem van haar moeder hoorde ze niet, Signe keek naar haar, haar lippen bewogen niet.

Haar vader nam het deksel van de pan, hij keek Signe niet aan toen hij haar de soeplepel aangaf, ze moesten zelf opscheppen, want dan beslisten ze zelf hoeveel ze namen en wat ze opschepten moesten ze opeten. Haar moeder drukte haar shagje uit op de rand van haar bord. Toen ze aan de beurt was bleef ze stil zitten.

'Wil jij niets?' vroeg Signe.

Haar moeder keek haar aan, de pony hing zwaar over haar ogen, het was of ze wilde dat Signe niet zou zeuren, maar niet wilde dat Signe zou merken dat ze dat dacht. Het gaat goed, mama, wilde ze zeggen. Het gaat vast goed.

'O, ja hoor,' zei haar moeder, 'nu zal ik opscheppen.'

Ze zei het luid terwijl ze naar haar vader keek, ze nam de soeplepel van Signe aan en schepte een beetje vleessoep uit de pan, die was geel, oranje en bruin, er dreven vetoogjes op.

Ze zette haar bord neer en leunde achterover op haar stoel, ze had die lichtblauwe sjaal om en een dun gouden kettinkje dat in een boog over haar donkerblauwe trui hing. Het was alsof ze zich van het eten afwendde, misschien is de geur haar te sterk, dacht Signe. Misschien heeft ze geen honger, misschien is ze ziek. Signe boog zich naar voren en begon te eten.

'Hm, het is lekker', zei ze tegen haar vader.

'Hm', antwoordde die.

Er liepen zweetdruppels over zijn voorhoofd, misschien kwam dat door de peper in de soep, of gewoon omdat het eten zo warm was.

Signe keek uit het raam. Ze zag alleen hen in de ruit, hun gezin, ze dacht eraan dat het de dag voor kerstavond was, maar het voelde niet zo, het kon wat voor dag dan ook zijn.

Plotseling bleef haar vader stil zitten, zijn hoofd gebogen, hij hield het stil alsof hij even helemaal weg was, Signe dacht dat hij misschien huilde, dat er eerder die dag iets verschrikkelijks was gebeurd. Mijn papa, dacht ze. Toen keek hij op en keek hen om de beurt aan. Hij zag er niet bedroefd uit, zoals ze had gedacht, zijn gezicht was rood aangelopen, zijn wenkbrauwen stonden vlak bij elkaar, hij had het op zitten sparen, hij was kwaad.

'Dit gaat niet meer', zei hij zacht tegen haar moeder.

De hond kwam naar Signe toe en kroop onder tafel, ze ging zo liggen dat ze haar met haar voeten kon aaien.

'Wie ben je?' fluisterde hij, hij keek naar haar moeder alsof hij het antwoord daarbinnen zelf kon zien als hij maar doordringend en lang genoeg bleef kijken.

Haar moeder lachte opgelaten.

'Wie ik ben?' zei ze. 'Vraag je dat nu alweer? We zijn al vijftien jaar getrouwd en jij vraagt wie ik ben?'

Haar vader stond op. Signe schrok. Het gebeurde zo snel, hij had zo rustig geleken. Hij greep haar moeder bij de arm, sleurde haar van haar stoel. Hij hield haar met beide armen vast en schudde haar heen en weer.

'Lach me niet uit', zei hij. 'Jij lacht me niet uit, hoor je!'

'Laat me los!' zei haar moeder.

Signe en haar broer keken toe. Ze zag de blikken met koekjes achter haar moeder staan.

'Laat me los!'

'Je zit me alleen maar te pesten,' zei haar vader, 'je houdt me voor de gek, je komt thuis en lacht me uit. Ik hou het niet meer uit. Ik wil dit niet. Hoor je me. Ik hou het niet langer uit.'

Hij duwde haar van zich af en ze viel achterover de kamer in, tegen de eettafel aan.

'Au,' zei ze, 'dat deed pijn.'

'Dat deed pijn', deed haar vader haar na.

Signe boog zich naar voren, ze zag haar moeder overeind komen, ze hield haar ene hand achter tegen haar hoofd gedrukt.

'Ja, dat dóét pijn, dat doet écht pijn, en jij zit daar maar en hebt voortdurend wat op me aan te merken en slaat met je zweep, opdat ik blijf springen en kunstjes voor je doe, zodat je daar ontevreden en ongelukkig en perfect kunt zitten zijn', zei haar vader.

'En wie ben jij?' vroeg haar moeder.

Haar lippen waren strak gespannen, ze zag lijkbleek. 'Wie ben jij eigenlijk dat je ons allemaal hier kunt komen vertellen hoe het met ons gesteld is? Wie ben jij, kleine god, wie denk je eigenlijk dat je bent?'

Ze spuugde naar hem. Hij greep haar weer bij haar arm. Signe wilde dat ze zouden gaan zitten. Ze waren een gezin. Ze moesten met elkaar praten en alles weer in orde maken, ze moesten het weer goed maken. Signe bleef doodstil zitten. Haar broer bleef doodstil zitten. Dit was hun keuken, met de tafel en de stoelen, de aanrecht en de gootsteen, de broodtrommel en het broodmes.

'Laat me los', gilde haar moeder.

Signe voelde dat de tranen haar over de wangen liepen. Ze keek naar haar broer. Ook hij zat te huilen. Haar moeder wist een arm los te rukken, wist haar bord te pakken, tilde het op en sloeg ermee op het hoofd van haar vader, het brak in twee stukken en viel op de grond, de soep stroomde langs hem heen. Haar vader liet haar niet los, hij pakte haar beide armen beet, trok haar naar zich toe, alsof hij haar wilde bijten. Het ging allemaal zo snel. Haar moeder wist haar andere arm los te krijgen. Ze pakte een van de blikken met koekjes en sloeg haar vader ermee op het hoofd. De koekjes rolden eruit, ze vielen in de soep die op de grond was gemorst, haar vader hield haar moeder vast terwijl zij probeerde zich los te rukken, ze trapten op de koekjes, het kraakte. Die zachte, fluisterende stem van haar vader, het gejammer van haar moeder. Haar moeder probeerde zich weer los te rukken, de voetstappen heen en weer, ze wist het andere blik met koekjes te bemachtigen en gooide het over hem leeg, de hele keuken was vol kokosmakronen.

Signe proefde de zilte smaak van snot op haar lippen.

Ze moesten zeggen bij wie ze wilden wonen. Signe zei bij haar vader en toen zei haar broer dat hij bij haar moeder wilde blijven. De keer daarvoor was het omgekeerd geweest en de keer daarvoor weer omgekeerd. Haar moeder huilde en haar vader zei niets. Toen begon hij weer te praten.

Toen ze van tafel mochten had Signe verschillende keren gehuild en tussendoor waren haar tranen vanzelf opgedroogd, haar gezicht voelde helemaal stijf aan.

Ze gingen naar beneden naar hun kamer. Signe stond zichzelf in het raam te bekijken, ze hoorde haar broer de deur van zijn kamer dichtdoen, ze hoorde het geratel van het toetsenbord, hij moest zijn computer aan hebben laten staan, het geluid klonk bijna al voordat zijn deur dicht was. Ze zag de lichten van de andere huizen daarbuiten. Nu zou er een auto moeten komen. Hij zou niet moeten blijven staan, niet toeteren, maar langzaam moeten komen aanrijden, recht in haar kamer schijnen, haar met zijn koplampen verblinden, haar opnemen in zijn licht, dan keren en het licht meenemen.

Z e bleef lang liggen luisteren. Toen ze iets hoorde was het een jongenskoor op de radio, ze zongen 'O hoe heerlijk, hoe begeerlijk', het was ochtend, de ochtend voor kerstavond. Ze ging in pyjama naar boven naar de kamer. Daar stond de versierde kerstboom, de lichtjes straalden als sterretjes, ze schitterden en glinsterden haar toe, op het salontafeltje lag het rode kleedje en er stond een houten schaal met noten op, op het dressoir bij de eettafel stond de kerstkribbe, net als vorig jaar, het kleine Christuskindje in de witte kribbe, de herders in een groepje rechts daarvan en de drie koningen links, knielend. Aan de muur erachter hing het blauwe kerstpapier met de gele sterretjes. In de keuken stond haar moeder in haar lichtblauwe ochtendjas bij het fornuis. Ze draaide zich om en glimlachte naar Signe.

'Prettig kerstfeest, kindje', zei ze.

Ze zag er niet moe uit, ze had geen sjaaltje strak om haar hals gebonden om de blauwe plekken te verbergen. Misschien hadden ze het weer goed gemaakt, zodat ze vroeg naar bed hadden gekund.

Signe zag dat ze bacon in de koekenpan had gelegd, de lila adventskaarsen op tafel waren door nieuwe, rode vervangen. Ze hoorde haar vader buiten op de stoep de sneeuw van zijn voeten stampen. Hij had vast meer hout gehaald. Signe glimlachte naar haar moeder en ging toen de kamer weer in, de hond kwam naar haar toe en keek haar met haar kop schuin aan. 'Ja, ja,' zei Signe zachtjes, 'na het ontbijt gaan we uit, dat beloof ik.'

De hond begon te kwispelen, ze begreep wat ze zei. Signe ging naar het raam, ze stond onder de adventsster naar buiten te kijken, naar de sneeuw in het donker.

Vandaag is het kerstavond, dacht ze. Ze dacht aan haar moeder en aan haar vader en haar broer, dacht eraan hoeveel ze van hen hield. Ze draaide zich om en keek weer naar de kerstboom, wat was die mooi versierd. Ze hield een van de kerstballen in haar hand en bekeek hem nauwkeurig. Er stond een afbeelding op van een meisje, ze zat op een krukje, ze had lang, krullend haar en een pop op schoot, ze zat een beetje over de pop gebogen, alsof ze ermee praatte. Naast haar lag een grote, lieve hond, er brandden kaarsjes, de kleuren waren zacht, bruin. Aan de andere kant stond hetzelfde afgebeeld.

Nu is alles goed, dacht Signe. Ze keek naar haar vader, die de trap op kwam, er zat een beetje sneeuw op zijn ene schouder, hij glimlachte naar haar, die blijde, warme glimlach die hij altijd in de bergen had. 'Prettig kerstfeest, Signe', zei hij.

III

G eschraap en gesuis, een zwaai in de rondte en toen werd het stil. Ik lag op mijn rug en keek omhoog in al dat wit, hoorde Ellen lachen. Nog even dan zou de zon tevoorschijn komen. Ik draaide mijn hoofd om en toen zag ik haar, ze had een rode blos op beide wangen, haar blonde haar stak onder haar rode muts uit. Over haar sneeuwpak droeg ze een gebloemde rok, die onder de sneeuw zat. Achter haar viel een scherp licht over de velden. Ik keek naar de grote boom bij het huis, bovenin was hij helemaal wit, overal was sneeuw.

'Nog een keertje', zei Ellen en ze keek me aan, stond op en begon haar slee tegen de helling op te trekken.

Ik bleef liggen, hoorde haar voetstappen in de sneeuw en de slee in kleine rukjes achter haar aan. Verder was het stil, behalve de geluiden die zij maakte, was er niets te horen.

Ik kwam overeind en liep de helling af naar de brievenbus beneden bij de weg, het was al een paar dagen geleden sinds we de laatste keer hadden gekeken, ik sloeg het deksel omhoog en keek erin. Er lag een grote, bruine envelop. Ik zag dat hij mama's handschrift had. Plotseling klopte het bloed me in de keel. Ik voelde een koude druppel onder mijn trui lopen, het was alsof mijn lichaam helemaal vanzelf reageerde.

We waren niet naar de stad gegaan. Ik had mama gebeld, mijn broer had de telefoon opgenomen, ik had papa's stem op de achtergrond gehoord, ik vroeg mijn broer om te zeggen dat we ook de dag na kerst niet kwamen. Ik zei dat het me speet van zijn kerst thuis.

'Dat hindert niet, Signe', zei hij.

Ik had hem nog meer willen vragen, zomaar iets wat alleen met ons te maken had, zonder papa en mama.

Ik wist niet wat ik moest zeggen.

Ik stond met de hoorn vlak bij mijn mond, dacht aan die keer dat we over de grote vlakte door de hei holden tot we bij het dal met de rivier en met het meertje bij de hut kwamen. Ik herinner me hoe ik naar hem keek, hij holde voor me uit, hij was sneller. Toen we bij de rand kwamen bleven we staan, hij eerst, hij wachtte op me, we stonden langs de rand en keken naar beneden naar het kleine dal, het was zo groen daar beneden, alles was zo helder en duidelijk. We stonden tegen de wind in, het waaide zo hard dat we ertegenaan leunden, herinner je je, dacht ik, herinner je je dat we elkaar aankeken, onze haren waaiden ons in het gezicht, dezelfde lichtbruine haren, het mijne lang, het jouwe kort, onze ogen hadden dezelfde blauwgrijze kleur. Toen begonnen we weer te hollen, we renden naast elkaar de steile helling af het bos in, ik vond het pad en we renden verder, voorovergebogen vanwege de takken van de lage berkenboompjes, we sprongen over wortels en heesters en struikjes.

Hij zei iets over zijn werk, zag tegen de vliegreis op. Ik zei dat het wel goed zou gaan. Hij lachte.

'Als jij het zegt', zei hij.

'Vast en zeker', zei ik.

We hingen op.

Ellen was helemaal naar boven geklommen, ze zat al klaar op haar slee. Ze riep me en wilde dat ik ook kwam, ik zei dat ik eerst naar binnen moest met de post, ze bleef op me zitten wachten. Toen ik bij haar was, boog ik me voorover en vroeg of ze een zetje wilde hebben, dan kon ze zolang een keertje alleen sleeën. Ze knikte. Ik gaf haar een duwtje in de rug en ze gleed met een vaartje naar beneden, ik keek haar na tot de slee omviel en ik haar iets hoorde roepen en lachen. De bruine envelop, ik keek ernaar, linksboven in de hoek waren drie glanzende sterretjes geplakt, het poststempel was van de dag ervoor. Ik maakte hem snel open en haalde dat wat erin zat eruit. Het was de jaarlijkse kerstbrief op dik, rood papier gekopieerd.

Lieve familie,
'Er wonen kabouters bij oma in het raam', zeg ik. De vierjarige kijkt me ietwat minachtend aan, glimlacht en antwoordt: 'Nu maak je een grapje.' Onze tijd is geen era voor grote sentimentalisten, maar er wonen dus kabouters in het keukenraam waar oma erg van geniet.

En dan wellen er kleine, onsamenhangende gedachten op dat het genoeg is, meer dan genoeg trends, ironie en realisme. Het is tijd, meer dan tijd voor een nieuw jaar en ik stap gewillig een jaar binnen met verhalen en dromen op de agenda. Volgens het eerbiedwaardige Instituut voor Toekomstonderzoek in Kopenhagen en kijk, ze hebben al een ijverige bekeerling. Want ik ben een aanhanger geworden van de o zo kleine vreugden, die onverwachts en ongemerkt opduiken, als de vleugelslag van een vlinder in de buikstreek: de buurman die om halfacht 's morgens aanklopt met een piepklein kerstcadeautje, dat ik al herhaalde malen heb bevoeld. Badzout misschien? Of wat zeggen jullie ervan dat mijn kristallen lamp het na anderhalf jaar weer doet?

Telefoon uit Boston met een lacherige stem die zegt: 'Alles in orde.' Als we maar met genoeg volgelingen zijn, kunnen we gewoon beweren dat er kabouters in het raam wonen, dat dingen zin kunnen hebben en dat dromen in zijn. Sluit je toch aan!

Grote gebeurtenissen zijn ook goed, prima zelfs. Deze zomer was ik op bezoek bij mijn kind in Amerika en 'lag' vier weken aan het Wellesley College. (De uitdrukking 'lag' heb ik in Engelse romans gevonden en in ieder geval ik krijg er vrolijke associaties bij: lui op een grassprietje kauwend op de grond liggen terwijl de geleerdheid onmerkbaar om me heen zweeft.) De realiteit was een intensief studentenleven op een grandioos vrouwencollege met college vanaf negen uur 's morgens tot de laatste sessie na het eten van 20.30 tot 21.30 uur. Wie doet het me na – en ik heb ervan genoten. Eerlijk gezegd moet ik over een genetisch talent beschikken om student te zijn. De ervaringen schijnen op wonderbaarlijke wijze in mijn lichaam te zijn opgeslagen en in een langdurige energie te worden omgezet.

Mijn eerstgeborene, mijn zoon, is met kerst thuisgekomen. Op Gardermoen loopt een moeder het wachtende getrippel in de grote hal mis, maar verder is het een chic gebouw. Zijn studententijd is voorbij, hij heeft een topbaan als onderzoeker aan het universiteitsziekenhuis van Harvard (Mass. General Hospital) en heeft een flat in een wolkenkrabber midden in de stad gekocht. Ik heb altijd gedacht dat de wereld van het wetenschappelijk onderzoek een wereld was waar werd samengewerkt aan gezamenlijke doelen en een hoger inzicht, in de geest van de wetenschap. Maar naar het schijnt is ook dat een jungle waar de roofdieren elkaar opvreten en waar je wordt gemeten aan het aantal prestigieuze publicaties. Het kind denkt er echter in de eerste plaats aan een piano te kopen. Het is een rustgevende gedachte dat Chopin als tegenwicht dient.

De moeder van de psychologe in spe verheugt zich erover dat nog een verstandig mens bereid is de last in gezondheids-Noorwegen te dragen. Signe heeft een korte denkpauze ingelast voordat ze haar studie afmaakt, waarvoor ze alleen de scriptie nog moet schrijven. Ze heeft de stad verlaten en is naar een charmant boerderijtje in Hadeland verhuisd, denkt er zelfs over om dieren aan te schaffen. Ze is begonnen aan een scriptie over waar ons begrip van de wereld door wordt gevormd. Haar moeder wacht gespannen op het vervolg.

Toch is papa de geestkrachtigste van ons allemaal. Hij is weer met zang begonnen, heeft wekelijks les bij een zangleraar en oefent in het domkoor. Volgens hem is dat het leven in miniatuur: de adem en de stem, en bovendien schenkt het ons die ernaar luisteren, levensvreugde.

Verder was ik van plan ons allen hartstochtelijk een vredig nieuwjaar en een PRETTIG KERSTFEEST te wensen.

Een zoen
(mama's handtekening)

Hanne Ørstavik bij Uitgeverij De Geus

Liefde

Vibeke is met haar zoontje verhuisd naar het noorden van Noorwegen. Jon is een spontane jongen die alles doet om zijn moeder niet voor de voeten te lopen. Desondanks voelt ze zich door hem in haar doen en laten geremd. Vlak voor Jons negende verjaardag gaan moeder en zoon zonder het tegen elkaar te zeggen 's avonds de deur uit.

Waarheid

Psychologiestudente Johanne woont bij haar moeder en staat op het punt naar het vliegveld te gaan om met haar pas verworven liefde Ivar naar het buitenland te vertrekken. Tot haar schrik merkt ze dat de deur van haar slaapkamer aan de buitenkant op slot zit. Terwijl Johanne een uitweg zoekt, denkt ze na over Ivar, over de relatie met haar moeder en de verwachtingen die ze van het leven heeft. Maar de tijd dringt ...